集まって話しあう

日本とヨーロッパの地域づくり

図解：5つのステップを楽しもう！

飯田恭子　浅井真康　市田知子　須田文明【編著】

rieco【プリント・イラスト・ぬり絵】

佐々木宏樹　平形和世　國井大輔　田中 淳志　三浦秀一　竹内昌義　ズスト・アレクサンダ【共著】

まえがき

飯田 恭子

農山漁村に暮らしている方、さまざまな職業に就いている方、立場の違いを超えて話しあいながら地域づくりに取り組んでいる方々、国や市町村で農山漁村の振興政策を検討している方、どうぞこの本をお読みください。

この本は、日本の農山漁村で地域づくりに取り組んでいる人たちのためにつくりました。ヨーロッパの LEADER 事業では、LAG（ローカル・アクション・グループ）が地元主導の地域づくりを約 30 年間にわたって実践しています。その LAG の人たちが蓄積してきた現場の知恵を、日本に届けたいと思います。

どうして LEADER に注目するの？

浅井 真康

LEADER 事業では、地域づくりのための助成金が農山漁村に配られます。
ただし、助成条件として、LEADER メソッド（考え方）に沿った事業の実施が求められます。本書では、LEADER メソッドを「７つの道具」と呼んで、紹介します。
LAG（ローカル・アクション・グループ）結成の背景には、地域の人たちにとっては、お金をもらえるという根本的な動機があります。その一方、LEADER 事業を実施した結果、LAG が LEADER メソッドに沿って取り組むことが、農山漁村の地域づくりにとても効果的なことが分かりました。
日本でも補助事業がたくさんあります。それらを活用しつつ、LAG のように LEADER メソッドの７つの道具を使ってみると、きっと役立つと思います。

【用語の解説】
・LAG（ローカル・アクション・グループ）：地域づくりの協議会です。
・LEADER 地域（リーダー地域）：１つの LAG が地域づくりを担う範囲です。その範囲は、LAG が地元主導で決めます。

25 年ほど前にドイツに留学していた際に、私が所属していたカッセル大学大学院の研究チームは、地元主導で農山漁村の地域づくりを進めるLEADER 事業について調査していました。LEADER 事業を実施している地域、「LEADER 地域」には、ある特徴をもつ場所が多いことに研究チームは気づき、「詩的な場所」と呼ぶようになりました。

「詩的な場所」とは？

人々が暮らす生活環境には、人々が郷土の誇りや宝として大切に思う「詩的な場所」があります。その場所には、地域らしい自然や歴史、文化、生業、そして物語があります。それは、そこに暮らす人々の心に働きかけながら生きる糧となり、地域の人たちをつなぐ場所です。過去や未来へと確かにつながっていて、そこに存在しなくては意味を失ってしまう本物の場所です。

詩的な場所を、どこかで模倣することはできません。

詩的な場所は、人を魅きつける力を持っています。人が集まって詩的な場所をつくる時、誰かの話を聞いて楽しかったり、誰かが共感してくれて嬉しかったりします。そうした経験を重ねると、地域の人たちは、自分の意見や希望を安心して話せるようになります。このいい感じの雰囲気が、自ら進んで行動する人たちがいる地域にはあります。

地域の人たちが信頼しあって活動することで、農村は振興します。地域の人たちが詩的な場所に関わり続けると、人々のコミュニケーションと地域のイメージは深みを増していきます。詩的な場所は、人々がお互いの存在を確かめあって、社会的に暮らすことのできる居場所になります。

（飯田 2007, Ipsen 2000, 高野 2007）

さて、私が学んだカッセル大学大学院では、教授陣の他にも、LEADER 地域のリージョナル・マネージャーさんたちが、地元主導の地域づくりについて教えてくれました。1998 年と 1999 年に、イプセン教授の率いる私たち研究チームは、ヘッセン州にある 10 の協議会（LAG とその他協議会）に話を伺い、どのように地域づくりを進めているかを明らかにしました。また、約 900 件の助成事業を調査し、事業の成果について分析しました。その結果、LEADER 事業が始まったことで設立された「協議会」が、地域づくりの調整役を果たしたため、地域の人々と組織が「地域のアイデンティティ」を築き、地域づくりの気運を高め、互いに協力しあえる関係を構築したことが分かりました（Ipsen et al. 1999, 飯田他 2004）。

カッセル大学大学院の修了後、2001 年に、私は山形の母校で教職につきました。2008 年には、再び渡独して博士論文を書きました。その後、日本の農林水産政策研究所での研究業務を経て 2011 年には、私自身がヘッセン州にある LEADER 地域のリージョナル・マネージャーとして働くことになりました。

仕事を始めると、学生時代にお世話になったリージョナル・マネージャーさんたちとの再会が嬉しく、また、とても心強く感じました。かつて若かったマネージャーさんたちは、すっかり中堅になり、地域の人たちに頼られる存在になっていました。新しくマネージャーに就任した私に、LAG による地域づくりのノウハウを教えてくれました。ヘッセン州の LEADER 地域は、24 地域にまで増えていました。また、「ヘッセン・リージョナル・フォーラム」という連合会ができていました。24 地域の LAG は、各地で会合を開いて交流し、地域づくりのアイデアと知識を交換していました。

ヘッセン・リージョナル・フォーラムでは、シュテファン・ゴーテさんという集まって話す地域づくりの専門家を招いて、リージョナル・マネージャーのための「同僚間アドバイス」という研修会を定期的に開催していました。研修会では、あるマネージャーさんが助成事業や LAG の運営に関して困っていることを相談すると、他の地域のマネージャーさんがどのように対応したらよいか、自身の経験をもってアドバイスします。

リージョナル・マネージャーをしていると、しばしば地域の人たちから、問題を解決に導くための判断を迫られます。そのような際に、「同僚間アドバイス」は、とても役に立ちました。

リージョナル・マネージャーの任期を終えた私は、2013年の秋から4年間にわたり、ヘッセン・リージョナル・フォーラムの研修会の運営、LEADER地域の農村振興計画の策定、LEADER事業の評価、助成事業の企画にたずさわりました。2018年には、日本に活動の場を移し、農林水産政策研究所においてドイツの農業・農村振興に関して研究しています。

ドイツで地域づくりにたずさわっていた時に、いつも私は、「どうやったら、もっとうまく地域の人たちが協力できるだろう？」と考え、「地域の人たちが歩んだ道のりを振り返り、取組の成果を共に喜びあいたい」と思っていました。

また、地域の人たちの努力と、取組の成果をアピールして、社会や行政に認められて、補助金や支援を得る必要もありました。地域の人たちと一緒に、いつも夜更かししながら、たくさんの申請書や資料を作成したものです。

地域づくりの進め方や可能性はさまざまです。大切なことは、自発的に取り組むこと、さまざまなことに取り組むこと、将来の可能性を信じて、新しいことに軽やかに取り組むことです。

農山漁村で地元のために尽力する方たちのために、使っていてモチベーションが上がり、明るい気持ちになれる本をお届けしたいと思います。

読者のみなさんが、地域づくりの疑問を解決するためのヒントや、取組の成果を社会や行政にアピールする際のポイントを、この本の中で見つけてくだされば嬉しい限りです。

みなさんの地域の人たちが集まって、この本のプリントを使って話しあって、地域らしさに根ざした農山漁村の地域づくりを進めていただけると幸いです。

謝辞

ドイツへの留学にあたり、ドイツ学術交流会と楠田育英会の菅谷孝子様のご支援を賜りました。この場をお借りして、御礼申し上げます。

この本は、JSPS科研費JP19H03068の助成を受けて実施した「EU農村振興の評価体制・手法に関する研究」の成果を、社会に広くお伝えするために刊行するものです。

目次

集まって話しあう日本とヨーロッパの地域づくり
図解：5つのステップを楽しもう！

資料集　5つのステップ
プリント8からプリント25まで・図解⑤から⑨まで

NYAG
にゃんこ・アクション・グループ

この本では、猫たちが人間のように暮らす島で、さまざまなバックグラウンド、価値観をもつ島民が、手を取りあって、地域を良くするという目標に向かって、話しあいをしています。

ヨーロッパでLAG（ローカル・アクション・グループ）による地域づくりがうまくいっていると聞いた猫たちは、自分たちも同じことができるか挑戦することにしました。

より良い地域づくりに向けて、みんなで悪戦苦闘、創意工夫する彼らの姿が、同じ目標を掲げる読者のみなさんの参考になれば幸いです。

NYAG
ヨーロッパの農山漁村で
暮らし、働く人たちは、LAG
を組織して地域づくりに
取り組むんだって！
Nao
LAG は、ローカル・アクション・グ
ループという、地域づくりの協議会
のことだよ。
Yuki

LEADER 地域は、リーダー地域って読むんだって。LAG が地域づくりをする範囲を決めて、LEADER 地域をつくり、「LEADER 地域　青い海と島」などと、名づけるんだって。
Aki

地域づくりの秘訣は、LEADER の 7 つの道具らしいよ。
GON

本の構成

この本は、地域づくりの研究と実践にたずさわる12人による共著です。

「❶ 地域づくりのコツを知ろう」では、LEADERメソッド（考え方）と呼ばれる地域づくりの7つの道具について、飯田恭子、浅井真康、riecoが解説します。それぞれの道具には、地域の人たちが集まって話しあう際に使える、書き込み式プリントがついています。

「❷ ヨーロッパのLEADER地域」では、市田知子と飯田恭子がドイツ、浅井真康がフィンランド、須田文明がフランスのLEADER地域とLAGについて紹介します。市田は「村の店」に着目し、飯田は「居心地のよい場所」をテーマに、村の暮らしを支える助け合いの仕組づくりについて考察します。

須田は「アルデシュの栗」という、在来種の栗を地理的表示産品とすることで、地域ブランドを構築したフランスのLEADER地域を紹介します。

浅井はフィンランドのLAGの運営方法について詳しくお伝えします。続いて、飯田もドイツのLAG運営を紹介します。さらに、飯田はLAGによる小さな取組を連携させた観光地の構築について、また、イノベーションと持続可能なライフスタイルを探究するLAGについて報告します。

日本にも、地元主導で地域づくりに取り組む人たちはたくさんいます。

「❸ 日本に根づく地元主導の地域づくり」では、浅井真康とICTチームが、地元の課題に創意工夫して取り組むうえで、ICTの活用について考察します。

佐々木宏樹と浅井真康が、スマホのアプリを用いた「ソーシャルスコア」を導入し、助け合いのまちづくりを行う、宮崎県綾町について紹介します。

平形和世が、岩手県遠野市における市民コミュニティによる地域づくりと、ICTを活用した健康分野の創意工夫についてお伝えします。

國井大輔と田中淳志が、意欲ある住民が誰でも参加でき、ICTを活用して地域の課題の解決策を検討する、京都府京丹後市丹後町宇川地区における「つながるミーティング」について報告します。

持続可能な社会の構築が模索される中、山形からは、自然エネルギーを使った持続可能な地域づくりについて紹介します。

三浦秀一が、市民参加の発電所づくりやエネルギーの地産地消に取り組んでいる「やまがた自然エネルギーネットワーク」を紹介します。

竹内昌義は、地域の人たちと「エネルギーまちづくり社」が取り組む、持続可能性を追求した住まいづくりと地域資源の活用について語ります。

この本の後半部分は、にゃんこ・アクション・グループの仲間たち（P.13 参照）が使っている、ドイツの LAG を参考に飯田恭子と rieco、浅井真康が作成した、地域づくりの手引書です。

「❹ 集まって話しあう」、「❺ 5つのステップ」では、集まって話しあいながら、地域づくりの5つのステップを登っていく方法を紹介します。

「資料集　5つのステップ」では、集まって話しあうための、書き込み式プリント、図解、それらの解説が揃えてあります。ドイツのリージョナル・マネージャーが使う便利な「集まり道具箱」、ドイツの LAG でたまに起きてしまう「がっかりな協議会事典」をズスト・アレクサンダが紹介します。

「おわりに」では、地域づくりのコツをふりかえります。

日本各地の方たちが、より軽やかに、より楽しく、地域づくりに取り組めるよう、この本が一助になれば幸いです。

2022 年 3 月吉日

飯田恭子 浅井真康 市田知子 須田文明 rieco
佐々木宏樹 平形和世 國井大輔 田中淳志
三浦秀一 竹内昌義 ズスト・アレクサンダ

1

地域づくりのコツを知ろう

LEADER の７つ道具

LEADER の基本（LEADER メソッド）は、おいしい料理をつくるための、レシピのようなものです。「どのように」取り組めば、農山漁村が豊かになるかという、基本的な考え方です。

LEADER 事業では、「なに」に取り組むべきかは示されていません。なぜならば、農山漁村の人たちが自分たちでなにをするか考え、集まって話しあい、選び、決めることが、とても大事と考えられているからです。

LEADER の地域づくりでは、７つの道具を使います。７つの道具は、全てまとめて使います。まとめて使うことで、少し難しいことにもチャレンジできるのが不思議です。

料理と同じように、試行錯誤して創意工夫を重ねるうちに、みんなの腕前が上がります。すると、農山漁村の人たちが元気に暮らし、働くことができるようになっていきます。

＊＊＊

ここからは、にゃんこ・アクション・グループ（NYAG）のメンバーが、LEADER の７つの道具の使い方を紹介していきます。

それぞれの道具のページに添えられたプリントは、みなさんの地域の人たちが「集まって話しあう」時に、利用できます。

いつ、どのプリントを使うかは、「どの集まりで、どのプリントを使うの？」（P.134）を参考にしてください。第１回から第 10 回までの「次第書」にも、どの集まりで、どのプリントを使うかが書いてあります。

図解①：地域づくりのレシピ　　確認した日：　　年　　月　　日

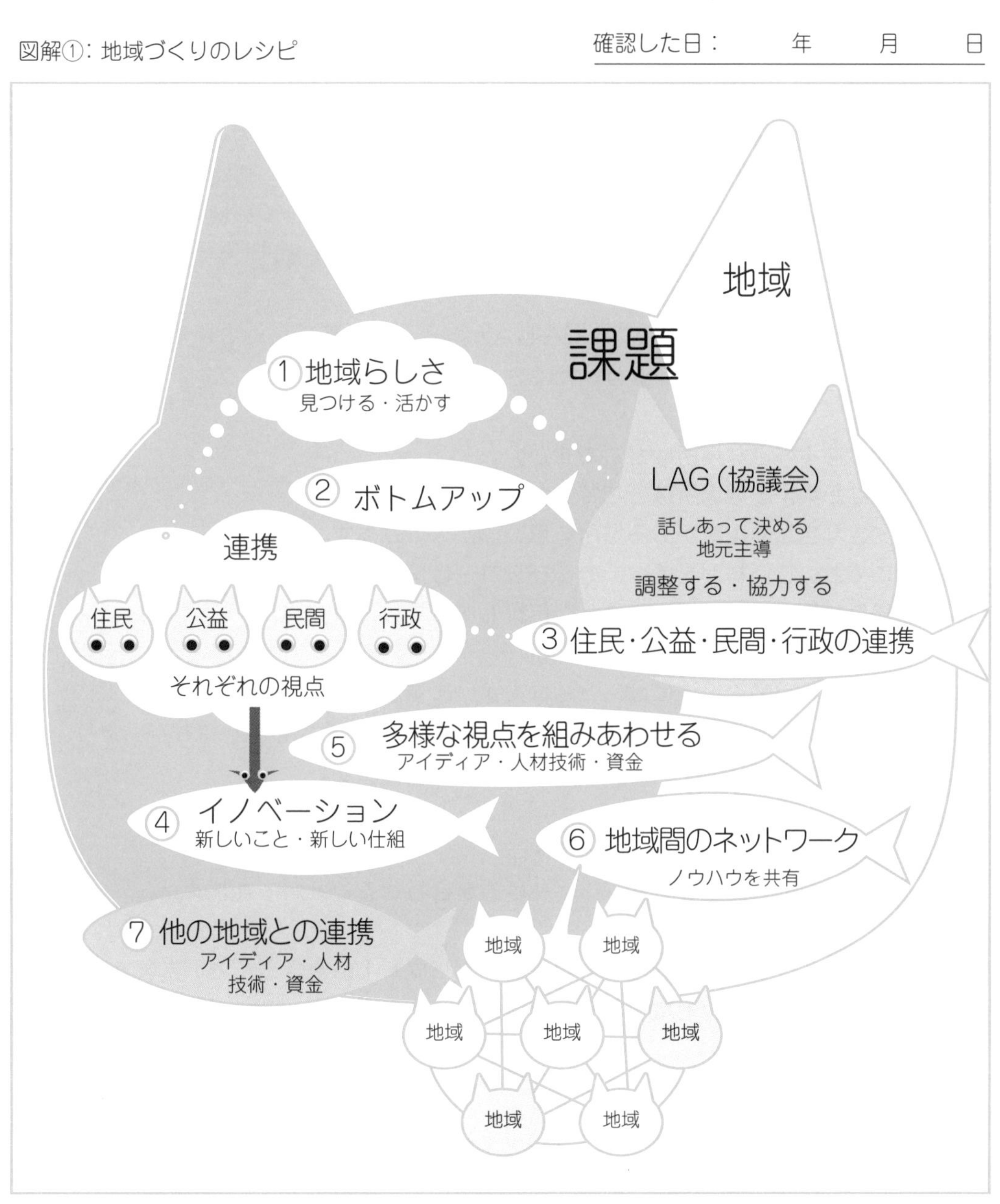

関連：プリント１からプリント７まで　７つの道具を使ってみよう！

第１の道具　地域らしさ

地理、自然、歴史、文化、社会のまとまりがある地域では、「地域らしさ」を人々はイメージすることができます。例えば、遠野、庄内、会津、丹後、阿蘇などの地域では、地域らしさをイメージできます。地域の人たちが、地域らしさを大事にすると、地元に愛着を持ち、元気に暮らすことができます。

私が暮らし、働く地域には、「地域らしさがない」と心配しなくても大丈夫です。地域らしさを見つけるヒントは、たくさんあります。

身近にある好きな場所はどこですか。
みんなが集まる居場所はどこですか。
すてきな自然や風景がある場所を思い浮かべてみます。
どこでおいしい料理を食べ、のんびりコーヒーを飲みますか。
お祭りや郷土料理など、守りたい伝統もあるでしょう。

私が暮らし、働く地域には、どんな人がいますか。
おもしろいアイデアを持っている人や、よく寄付してくれるお金持ちがいたり、地域のために貢献してくれる企業があったりしませんか。

近隣の市町村を思い浮かべてみます。
どの市町村の人たちと一緒なら、私は力を合わせることができますか。

気の合う仲間とこんな会話をしながら、プリント１に書き込んでいきます。
どこまでが私たちの地域であるかを考えていきます。

プリント１：地域らしさとはなんだろう？　　記入した日：　　年　　月　　日

地域らしいのはなぜ？

みんなは
なにを願っているの？

みんなが好きな場所

自然　素敵な場所

お祭り・美味しいもの

関連：プリント２　地元の取組を集めよう！　　プリント３　協議会メンバーをさがそう！

第２の道具 自発的に地元主導で取り組む（ボトムアップ）

この本の「❷ ヨーロッパの LEADER 地域」にある、フィンランドやドイツの例を見てください。LEADER 地域における地域づくりの取組は多様です。

私が暮らし、働く地域には、どんな地元主導の取組がありますか。
「地元主導」とは、地元の多様な人たちや組織が連携して、話しあいながら地域の課題に取り組むことです。

地元主導の取組は、誰がしていますか。
小さな取組であっても、気になる取組を集めてみます。

自発的に取り組むためのアイデアは、私たちの身近にたくさんあります。
例えば、地産地消のカフェをつくったり、地元のおいしい果物を使ったスイーツのお店を開いたり、古民家を炉端のある民宿にしたりできます。
他にも、廃校を郷土料理が食べられる林間学校にしたり、廃駅を障害のある人とない人が一緒に芸術作品をつくるアトリエにしたり、街道沿いの村をつなぐハイキングコースをつくったりできます。

また、森林を手入れして、間伐材でペレットを生産したり、バスから誰かの自家用車に乗り換えられるスマホのアプリを開発したり、大学病院と連携して若いお医者さんと家族のために診療所と託児所を開いたりするのもいいですね。

それなら私の地域にもある！と思いませんでしたか。
地元主導の取組を見つけたら、プリント２に書き込みます。

そのほかにも、こんな取組があったらいいのにと、思い浮かびませんでしたか。
あったらいいなと思う取組も、プリント２に書き込みます。
誰を誘って、その取組を一緒に実現したいか想像してみます。

プリント２：地元の取組を集めよう！　　記入した日：　　年　　月　　日

身近にはどんな地元の取組がありますか？誰がしていますか？

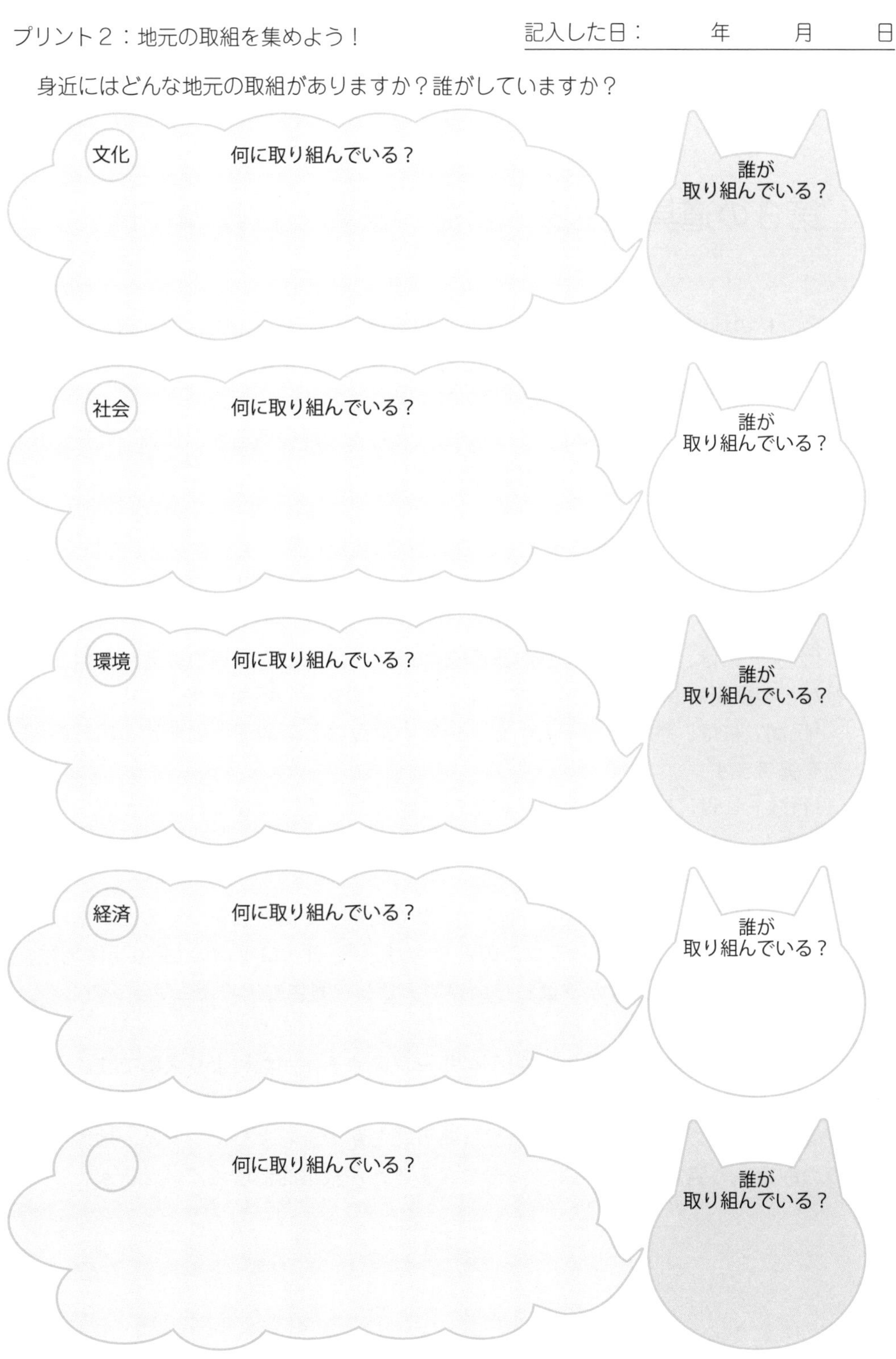

関連：❸　日本に根づく地元主導の地域づくり

第3の道具　住民・公益・民間・行政の連携

今、私の地域では、どのような人たちや組織が、地域のために取り組んでいるかをプリント2に書き出しました。これからやってみたい取組に関しても、誰を誘って一緒に実現したいかを思い浮かべたところです。

それでは、次に、プリント2に書いた人たちと組織の名前を、住民、公益、民間、行政の4つのセクターに分けてみます。

「住民」には、地域に暮らす人たちのなかで、組織に属していない人、もしくは、個人的に取組を実施している人、組織化していない市民グループなどの名前を書きます。

「公益」には、地域の人たちや家庭を助けたり、地域の環境や教育、医療、福祉などの課題に取り組んだりしているグループや組織の名前を書きます。

「民間」には、地域で働く人たち、企業や組合などの経済活動をする組織の名前を書きます。

「行政」には、市町村役場やその他の行政機関、そこで働くちょっと気になる職員さん、町長さんや市長さんの名前を書きます。

4つのセクターの人たちが、バランスよく集まって協議会をつくると、地域づくりは成功します。そのバランスのとり方は「❷ ヨーロッパの LEADER 地域」のフィンランドの LAG がすばらしいので、ぜひ参考にしてください。

地元主導の取組では、取組を担うグループのやる気がなにより大事です。協議会をつくると、たくさんのグループが出会います。グループの壁を越えて、グループ間でお互いの考え方を知り、信頼しあうことができるようになると、地域づくりの取組への協力者が増えて、実現できることが飛躍的に増えていきます。

プリント３：協議会メンバーをさがそう！　　　　記入した日：　　年　　月　　日

地域の人、グループ、組織を集めよう。協議会にスカウトしよう！

住民 住民、市民グループ・・・

公益 NPO、学校、PTA、消防団、福祉施設、大学・・・

民間 会社、自営、銀行、郵便局、協同組合、直売所、商工会議所、観光協会・・・

行政 市町村役場、県庁、警察署、消防署、河川管理者・・・

関連：プリント 12　協議会のメンバー構成　－セクター別グループ用－

第4の道具　イノベーション

イノベーションという言葉を聞いて、なにを頭に思い浮かべましたか。LEADERでは、最先端の技術や製品を開発したり、それらが地域に導入されることだけを、イノベーションとは呼びません。

さまざまな経歴を持つ人、異なる仕事や立場にいる人たちが集まって、どうすれば地域がもっと良くなるのか、どうすれば地域の問題を解決できるのかを検討する「場」を作ることが、すでにイノベーションの始まりです。

話しあいをする中で、実は地域の中に色々な解決策が埋まっていることに気づくはずです。例えば、案外知られていなかった名産品や景色、今は忘れられてしまった知恵や文化、あるいは新しい技術や製品に精通している人との繋がりが見えてくるはずです。価値の捉え方やネットワークは多様だからこそ、みんなで発見していくプロセスが大事です。

地域の課題解決に向けて、大きな目標とそれを達成するための具体的なにやるべきこと（ミッション）を定めると「場」での話が俄然盛り上がります。ミッション達成のためには、多方面から目指すことを念頭に置くと、いろんな人の能力や魅力が活かせることに気づきます。そして、臨機応変にミッションを変えることも大事です。みんなで話しあえる場があれば、失敗からもたくさんのことを学んで、次に活かせます。

プリント4「イノベーション」を使うと、私たちがどのような目標を目指して、地域振興に取り組んでいるのか見えてきます。これまでに創意工夫してきたこと、今後、どのように創意工夫していくかが見えてきます。

この創意工夫こそが、地域のイノベーションです。

図解②：イノベーション　　　　確認した日：　　年　　月　　日

1　地域の目標は何でしょう？

例：美しい風景を守りたい

2　目標達成に向けて、具体的なミッションを決めましょう。

例：2030 年まで今の人口を維持しよう！

3　ミッション達成に向けてどんな手段がありますか？

例：観光客の誘致　　移動手段の充実　　買い物手段の充実

4　手段の実施に向けて・・・
地元で活用できる技術、資源、文化はありますか？
地元には無いけれど、新しい手段として、魅力的な技術や製品、
あるいはそれらに詳しい人とのネットワークはありますか？

●●さんは SNS が得意

△△はパワースポットらしいよ！

〇〇さんの美味しい野菜、
△△さんの伝統工芸品を
もっとアピール？

UBER 呼べないかな？

ドローンが届けてくれる？

移動販売車を呼べないかな？

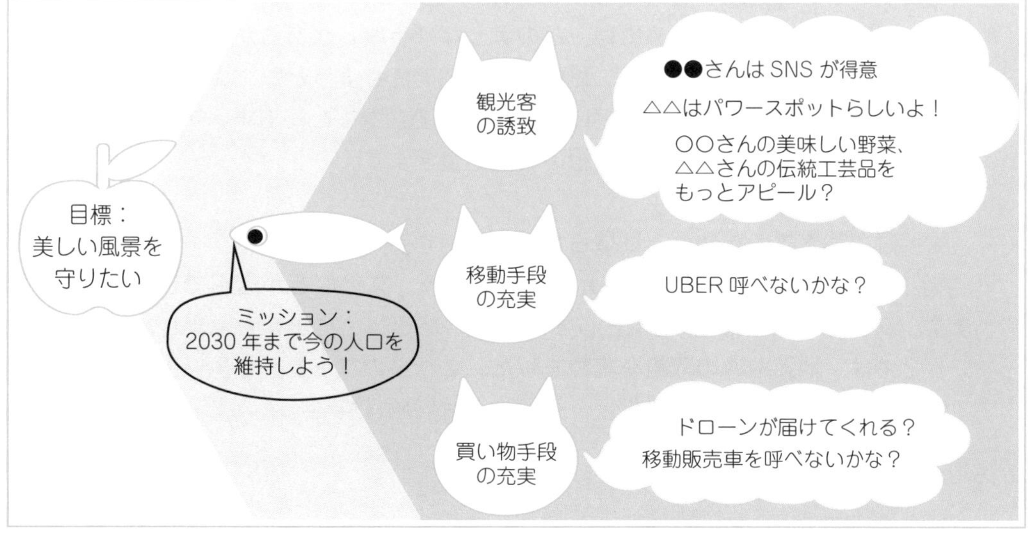

関連：プリント４　イノベーション

◆プリント４を書き込む手順

各テーブル、５人から６人で話しあいます。

テーブルごとに、異なる「地域の目標」が出てきてもかまいません。

①地域の課題解決に向けて「地域の目標」を決める

「地域の目標」とは、大きな目標です。

例えば、「美しい風景を守りたい」というように、漠然としています。

②地域の目標に近づくために、「ミッション」を定める

「ミッション」を考えます。ミッションとは、日本語にすると使命とか、任務とか、少し義務的に聞こえます。しかし、ここでは、そこまで深刻にとらえなくても大丈夫です。

具体的に目指すことについて、数字も取り入れて考えます。例えば、「美しい風景を守る」ためには、地域に人が住み続けることが好ましいと思われます。そこで、「2030年まで今の人口を維持する！」とミッションに定めます。いつまでに、なにを達成したいか、おおまかに決めます。

③ミッションを達成するために、「手段」を考える

ミッションを達成するためには、どのような「手段」があるか考えます。手段とは、観光客を誘致しようとか、移動手段を充実させようとか、買い物の手段を充実させようとか、地域に住み続けるために「役立つこと」です。すでに地域で取り組んでいることがあれば、取組の名前も書きます。

④手段を実施するために、地域らしさを活用する

「手段」を実施するために、地元の技術や資源、文化などが活用できるか考えます。プリント１では、「地域らしさとはなんだろう？」かを考えました。プリント２では、地元主導の取組を集めました。これらのプリントを思い出し、地域で活用できる技術や資源、文化と、「手段」を結びつけます。

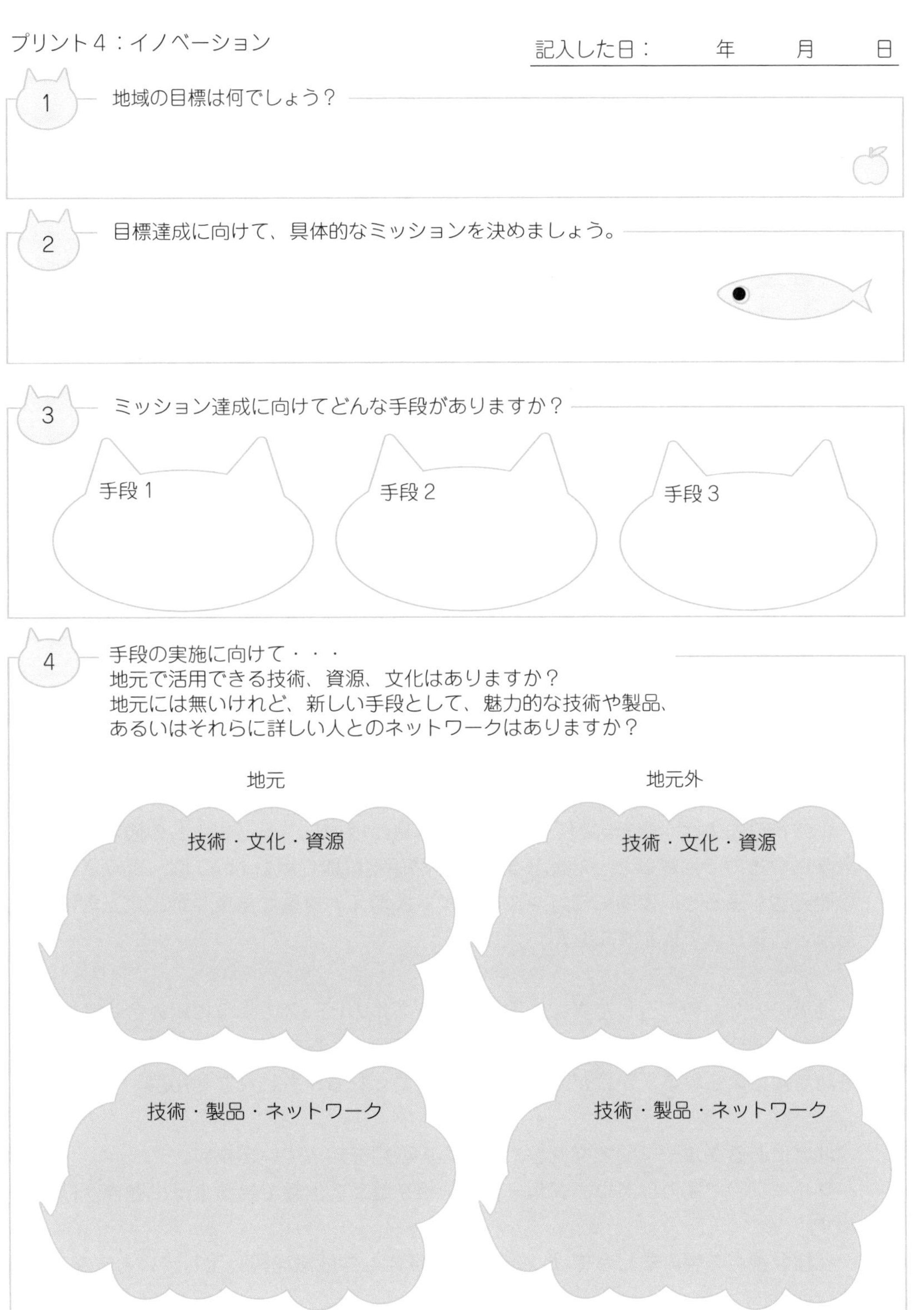

プリント４：イノベーション

記入した日：　　　年　　　月　　　日

1　地域の目標は何でしょう？

2　目標達成に向けて、具体的なミッションを決めましょう。

3　ミッション達成に向けてどんな手段がありますか？

手段１　　手段２　　手段３

4　手段の実施に向けて・・・
地元で活用できる技術、資源、文化はありますか？
地元には無いけれど、新しい手段として、魅力的な技術や製品、
あるいはそれらに詳しい人とのネットワークはありますか？

地元	地元外
技術・文化・資源	技術・文化・資源
技術・製品・ネットワーク	技術・製品・ネットワーク

関連　：　図解②　イノベーション　プリント 10　みんなで思い描く、地域の将来像

第５の道具　多様な視点を組みあわせる

地域では、家族や友人グループ、小さな企業、なにかのアイデアをめぐって集まった人たち、NPO、サークル、近所の寄り合いなど、多くのグループが自主的にさまざまな取り組みをしています。

地域の人たちが集まり、「どのように取組を進めようか」と話しあいをしても、なかなか意見がまとまりません。関心のあること、考え方、価値観は、人それぞれです。個人的には賛同していても、組織の人間として協議会に参加していれば、その立場から、首を縦に振れない事情もあります。

協議会を設立しても、共通の関心を持つ人たちが集まることは少ないと思います。それよりは、むしろ、多様な考え方をするメンバーが、多様な地域づくりの課題に対応するために集まると思います。

例えば、農村観光に取り組もうと、協議会で話しあっていると仮定します。旅館で働く人は多くの観光客に来て欲しいと考え、農家は地元の農産物を食べてもらいたいと願います。

小学校の先生は、観光客が来ることで交通量が増加し、子どもたちの通学路が危険になるのではないかと心配します。自然保護に取り組むNPOは、たくさんの観光客が来ると、夜間に街灯や車のライトが増え、貴重な昆虫や野鳥が光害にあうと、乗り気ではありません。

地域の人たちのこうした異なる視点を、パズルのピースのように組み合わせてみます。そうすると、農村の暮らしや自然環境、生物を守りつつ、地域の良さを来訪者に伝えられる、かけがえのない風景がつくれるかもしれません。

地域にあるグループ間で交流し、お互いの取組を知っていきます。

グループ間で協力しあい、グループの垣根を越えて信頼できるように働きかけます。

多様な視点を組みあわせて、地域全体に意欲的な雰囲気を醸し出していきます。

プリント５：多様な視線を組みあわせるとなにができる？　記入した日：　　年　　月　　日

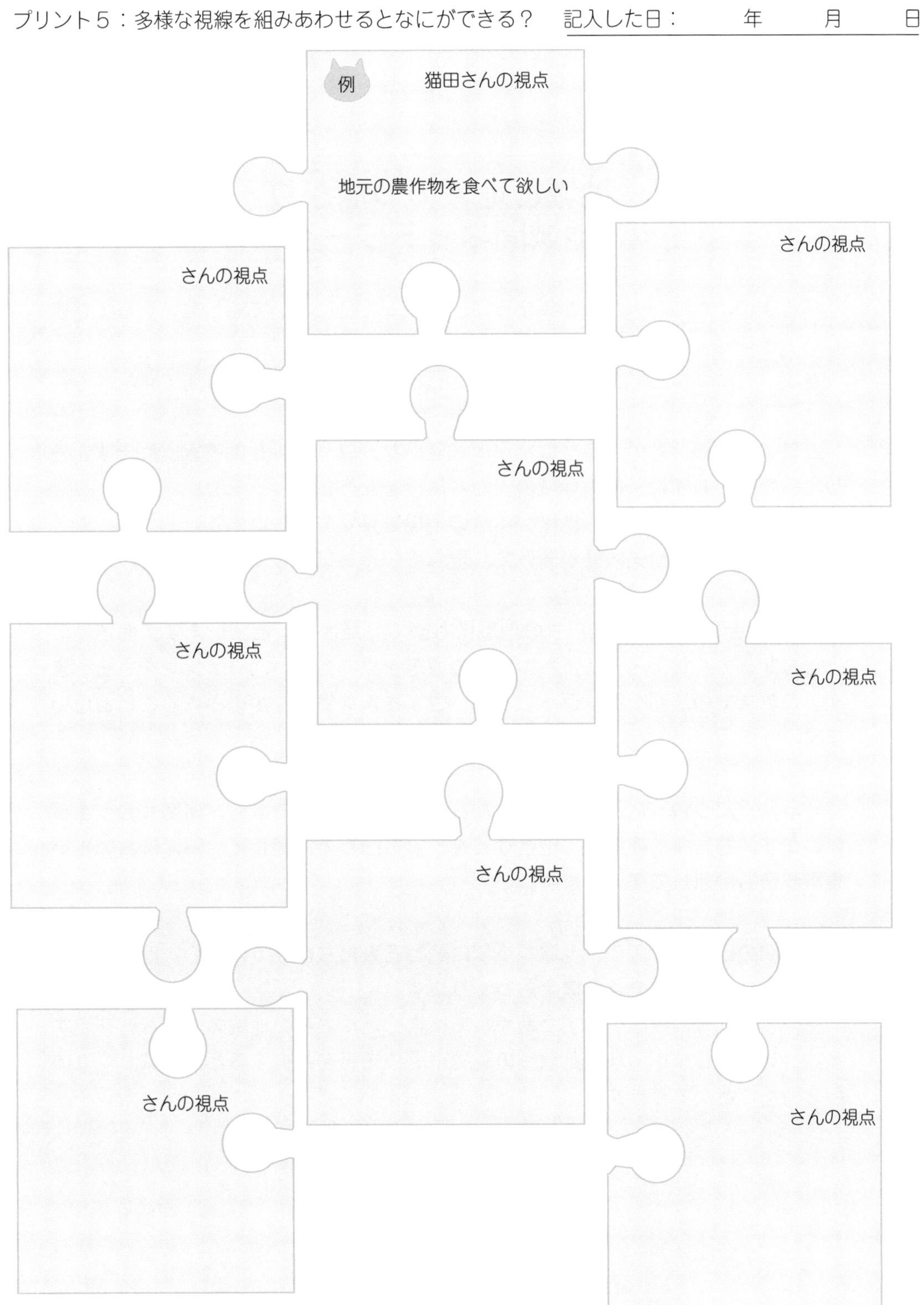

関連　：　プリント 22　協力図の「作り方」「読み方」

第６の道具　地域と地域のつながり（地域間ネットワーク）

ここまで、地域の人たちが集まって、地域づくりについて話しあいをしてきました。次には、他の地域の人たちと交流してみます。

ちょっと気になる取組をする地域が、日本にはたくさんあるはずです。

どこの地域の、どのような取組が興味深いか、プリント６に書き出します。そして、ためらわずに、他の地域の人たちに声をかけます。

日本の各地を訪問して、地域づくりの現場を見せてもらいます。

きっと、成功談や失敗談が聞けて、現場の知恵を伝授してもらえます。

「次の機会には、ぜひ私たちの地域にも来てください」と誘います。他地域の人たちが来てくれたら、私たちの地域の取組を見てもらい、コメントをもらいます。これまでの活動を振り返ることで、さまざまな気づきが得られることと思います。

せっかく知り合った他の地域の人たちとは、一度きりでなく、何度も会うようにします。勉強会、講演会、視察などを、持ち回りで準備して、時にはおいしい食事や宿も用意して交流します。

一年間の日程を考えて、地域づくりに関わる人たちだけではなく、地域のさまざまな人たちが参加できる機会もつくります。

交流する地域の数を少しずつ増やしていき、たくさんの地域の人たちと交流することを目指します。地域と地域の間で現場の知恵を共有すると、地域づくりの腕を磨くことができます。

プリント６：気になる地域と仲間になろう！　　記入した日：　　年　　月　　日

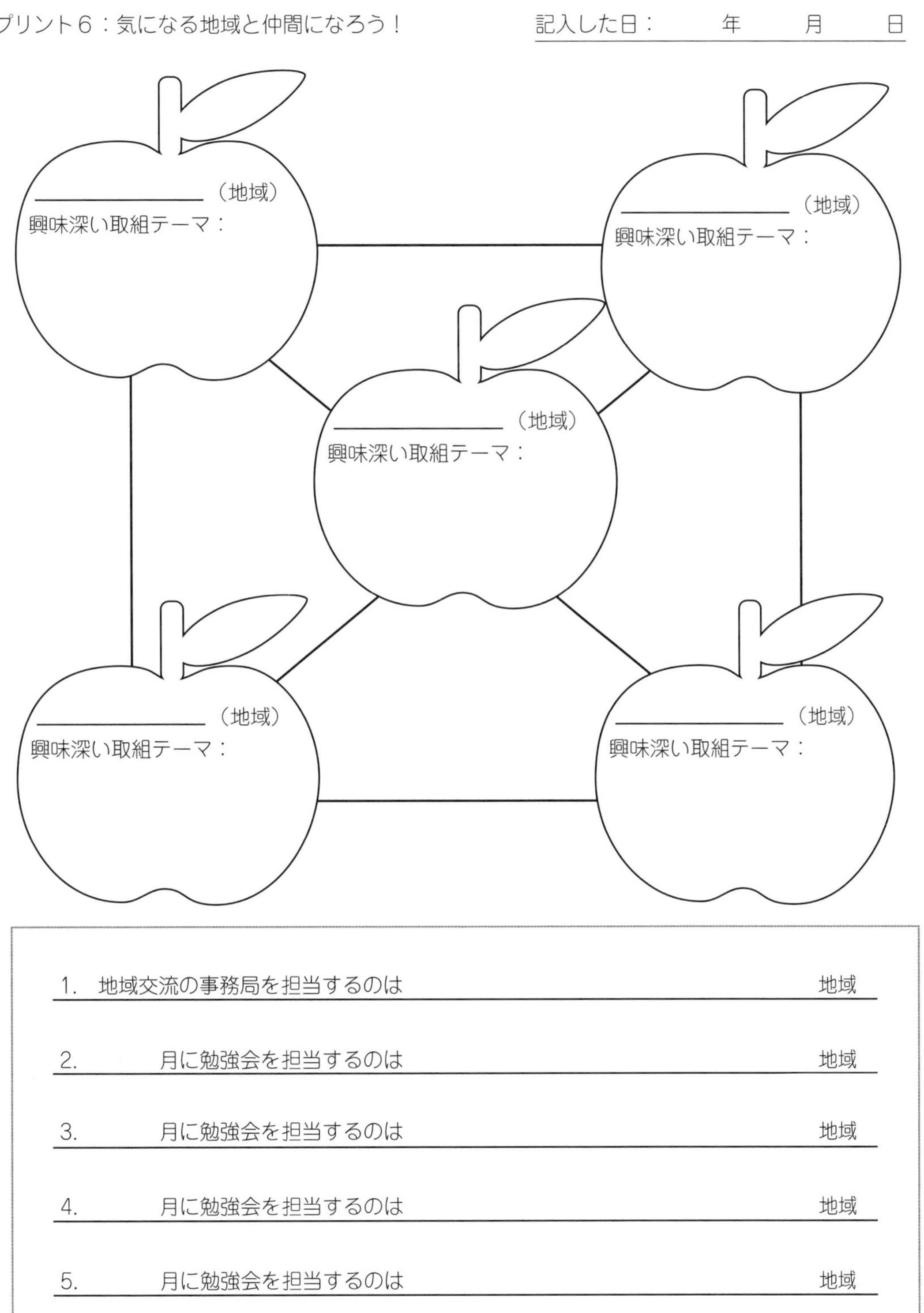

1.　地域交流の事務局を担当するのは　　地域

2.　　月に勉強会を担当するのは　　地域

3.　　月に勉強会を担当するのは　　地域

4.　　月に勉強会を担当するのは　　地域

5.　　月に勉強会を担当するのは　　地域

関連　：　プリント 21　どんな創意工夫をしたの？

第７の道具　他の地域との連携

今、地域の人たちが、ある課題に対応するために、なにかの取組を検討しているとします。今、検討している取組が、誰のためのものなのか、よく考えてみます。どんな課題に対応するために、その取組を実施するのかも考えます。

検討している取組を実施するには、どんな人たちや組織の参加・協力が必要ですか。近所の人たち、知識や技術のある人たち、資金や生産力のある企業、地域内外に顔のきく市民グループなど、誰の協力が必要かを考えます。

そうすると、どのくらい広い範囲でその取組を実施したら良いか、次第に分かってきます。

近くに住む人たちが協力して実施できる取組ならば、集落単位で取り組みます（プリント７の上段）。例えば、集落を草花で美しくしたり、みんなで集まれる場所をつくったりするのは、集落単位で取り組むことができます。

もう少し広く、近隣の市町村が一緒に取り組んだ方が良さそうであれば、市町村の垣根を越えて協議会をつくって取り組みます（プリント７の中段）。

例えば、通学路を安全にしたり、住民の出資で村のお店を作って、近隣の市町村が共同経営したりする場合は、市町村の垣根を越えた協議会の単位で取り組むのが適しています。

もっと広く、広域の市町村が一緒に取り組むことが適していると思われれば、複数の協議会が協力して取り組みます（プリント７の下段）。例えば、ドイツでは、地域の人たちの移動手段（モビリティ）を改善するためには、通学や通勤、通院や買い物など、人々の行動範囲が広いことを考慮し、複数の LEADER 地域の LAG が集まって、公共交通機関と自家用車の乗合を組み合わせるために、スマートフォンのアプリ開発などを試みています。

プリント７：身近で取り組む？　広域で取り組む？　　記入した日：　年　月　日

集落　名称	集落　名称	集落　名称
参加者：	参加者：	参加者：

取組内容：

地域　地域の名称（協議会の名称）

参加者：

取組内容：

地域　＋　地域　＋　地域　＋　地域　＋　地域

地域の名称（協議会の名称）

＋　＋　＋　＋

参加者：

取組内容：

関連：プリント６　気になる地域と仲間になろう！

2

ヨーロッパの LEADER 地域

LEADER 事業・LEADER 地域・LAG のあらまし

LEADER（リーダー）事業とは？

ヨーロッパには、さまざまな農山漁村があります。各地の気候や地形、土壌が異なるため、そこで展開する農林水産業も多様です。ヨーロッパの国々では、政治や社会、経済の状況も異なります。また、農山漁村と都市との距離、高速道路や鉄道、港湾の整備状況も、国や地方によって異なっています。

1980 年代、当時の欧州共同体（EC）は、農山漁村の個性を活かすことが、地域づくりに効果的と考えるようになり、その仕組みづくりを模索しました。農山漁村の個性は、地元の人しか知りません。そこで、地元の人たちが地域の将来像を描き、その実現に必要な地域づくりの取組を協議して決め、補助事業として実施するという、LEADER 事業を考案しました。

1991 年に、EC は LEADER 事業を始め、これまで 30 年間にわたって優良事業として継続してきました。1993 年に欧州連合（EU）となった後も、LEADER 事業は広く普及し、現在では、2,800 の LAG が活動しています。これは、EU の農山漁村地域（ルーラル・エリア）における人口の 61% が、LEADER 地域で暮らしていることを意味します（https://enrd.ec.europa.eu/leaderclld_en）。

LEADER とは、「農山漁村地域（ルーラル・エリア）における経済発展のための活動の連携」という意味のフランス語の事業名の略語です。農山漁村においてさまざまな所得の獲得手段を創り出し、それらをつなげることで地域の経済発展を促し、都市への人口流出を防ぐことが、LEADER 事業の目的です。

Europe
NYAG
NYAG

LEADER 地域とは？

LEADER 事業では、農山漁村の人々と組織が、地域づくりの協議会であるローカル・アクション・グループ（LAG）を結成します。一つの LAG は、市町村の境界を越えて結成されます。どの LAG に、どの市町村が参加するかは、地元の人たちや組織が話しあって決めます。市町村を越えて LAG を結成することで、地域づくりの広域連携が成立します。この広域連携の範囲が、LEADER 地域です。EU 規則 1303/2013 の 33 条（6）によれば、LEADER 地域の大きさは、人口が 1 万人から 15 万人までと定められています。

LAG（ローカル・アクション・グループ）とは？

LAG を設立するために集まった人たちは、LEADER 地域の範囲を決めて、地域の暮らしと仕事の状況、人材や資金などの有無について調査します。その調査結果を踏まえて、地域が解決する必要のある課題を抽出します。そして、それらの課題に対応すべく、地域づくりの戦略を練り、さまざまな取組を考案し、実行計画と事業評価計画をつくります。これら全てが『農山漁村地域（ルーラル・エリア）振興計画書（戦略書）』として、とりまとめられます。

国政府または州政府は、国・州レベルで農山漁村振興政策をとりまとめた『農山漁村地域（ルーラル・エリア）振興プログラム』に、LAG 候補の計画を組み込んで、EU に提出します。国・州のレベルで、LAG 候補を選抜することもあります。EU が国･州のプログラムと LAG を承認すると、LAG は正式に発足します。現在は、EU が 7 年間の周期で承認しています。

EU が LAG を承認すると、LEADER 地域の人たちと組織は、LAG の同意を得て、多年次にわたって LEADER 事業の補助金を申請できるようになります。EU は、LAG の意思決定に際して、議決権のある理事会メンバーのうち、行政部門や単一の利益団体が 49% を超えてはならないと、EU 規則 1303/2013 の 32 条（2）で定めています。LAG の運営について、詳しくは、フィンランドとドイツの例を、この本で紹介しています。

EU は、LEADER 地域に対して、LEADER のメソッド（考え方）をガイドラインで示しています（EC 2006)。LAG は、この LEADER のメソッドに基づいて、地元主導（ボトムアップ）で地域づくりに取り組みます。この本の冒頭では、LEADER のメソッドに関して「LEADER の７つの道具」と呼んで紹介しました。

ボトムアップとは？

ヨーロッパでは、都市づくり、地域づくり、村づくりのさまざまな場面で、ボトムアップの手法が使われています。ここでいう「ボトムアップ」とは、地域の多様な人たちや組織が協議して、連携しながら、創意工夫して、地域の課題に取り組む手法のことです。

LEADER 事業は、農山漁村の地域づくりにおいてボトムアップの手法を用いた先駆的な施策です。

フィンランドのLEADER地域

浅井 真康

はじめに

フィンランドは北緯60～70度に位置し、国土の約1/4は北極圏にあります。国土面積は33.8万km^{2}ほどで、総人口は551万人です。これは日本とほぼ同じ大きさの国土に北海道と同程度の人たちが住んでいることを意味します。国土の大半は森林に覆われ、95%が農村地域（Rural area）に分類されるフィンランドは、まさに農村国家であり、農村地域活性化を目指すLEADER事業の成功国としてEU内外で広く知られています（Wade & Rinne, 2008）。

そこで本稿では、なぜフィンランドのLEADER事業が地域住民に広く受け入れられ、成功事例として注目されてきたのかを報告します。また、LEADER事業を実践するローカル・アクション・グループ（LAG）の取組について、国内でも先進例として知られるピルカンマー県のJoutsenten reitti LAGを紹介します。さらに、当LAGにおいて20年間に渡ってリージョナル・マネージャーを勤められているPetri Rinneさんに成功の秘訣を伺いました(1)。

フィンランドにおけるLAGの形成

フィンランドではEU加盟翌年の1996年に初めてLEADER事業が導入されました。これ以降、EUの多年度財政予算の実施に合わせて計4回（1996-99年、2000-06年、2007-13年、2014-20年）実施されてきました。

フィンランドでは人口1～15万人の範囲の農村地域を1つのLAGとしてLEADER事業が実践されています。直近（2014-20年）のLEADER事業では、全国に54のLAGが形成され、フィンランド農林省が認定を行いました。LAGは、通常4から6のクンタ（Kunta）と呼ばれる基礎自治体をまたがる範囲で組織されます。例えば、Joutsenten reittiは4つのクンタで構成されており、本LAGには約5万人の住民が暮らしています。

（1）2021年6月9日にビデオ会議にて同氏にヒアリング調査を行いました。

LAG が認定され、活動予算を得るためには、まず LAG の活動期間である 7 年間にどのような目標を持ってなにを達成するかを具体的に示した地域振興戦略（Local Development Strategy、以下 LDS）の提出が必要です。本作業に際してクンタ職員が実質的な音頭をとる事はあるものの、基本的には協議会の形をとって当該地域の住民や団体からの自発的な組織化がなされます。協議会の構成は個人の加入脱退が自由な会員組織となっており、認定後には LDS に沿ったプロジェクトの公募・選定・助成を自分たちで実施します。この戦略策定から実施までのプロセスを LAG が一貫して行うことが LEADER 事業の特徴です。Joutsenten reitti では、現在 4 つのクンタから 250 名以上が会員として参加しており、これには地域住民に加えて、地元企業や NPO 等の団体、職業組合や職業訓練学校、教会等を含む地方公共団体等からの参加者も多数含みます。

日本の市区町村に相当するクンタは 2021 年現在で全国に 309 ありますが、人口規模が 2,000 人～ 5,000 人（全体の約 30%）と 5,000 人～ 10,000 人（全体の約 25%）のクンタが最も多く、小規模自治体が多い点が特徴です（大江, 2015）。そのため、複数のクンタが共同で行政サービスを担うことが慣例となってきました。このように複数の基礎自治体が広域的に結びつき、調整を行ってきた素地があったことが LEADER 事業を実践する LAG の設立および運営の成功に起因してきたと言われています（奥田，2005）。

フィンランド全体における 2014-20 年期の LEADER 事業の予算総額は 3 億ユーロで、このうち 42 ％は EU 予算である欧州農業農村振興基金から、残りの 58%に関しては国、クンタ、民間部門が拠出しました。EU および国からの予算は、全国に 54 ある LAG に配分されますが、例えば、Joutsenten reitti の 2014-20 年期の活動予算は総額およそ 1,000 万ユーロ（およそ 12 億円）で、このうち 24%と 18%はそれぞれ EU と国から、10%は 4 つのクンタから、そして残りの 48%は民間資金からでした。このように、各 LAG の活動は EU、国、クンタからの公的資金および民間資金で支えられており、それぞれの組織によって責任が分担される形を取っています。

LAG の活動 : Joutsenten reitti LAG を例に

つぎに各 LAG では、どのような内容のプロジェクトがどのように申請・採択されているのか、Joutsenten reitti での取組を例に見ていきます。まずプロジェクトの助成を希望する個人・団体は申請案を LAG に提出する必要があります。この際、申請書類の書き方や予算計画等に関して、LAG 事務局のリージョナルマネージャーからきめ細やかな相談を受けることができます。Joutsenten reitti 事務局には Rinne さんをはじめとする 3 名のスタッフが常勤して、申請や審査の支援を行います (2)。

つづいて、申請案が LDS と合致するかどうかについて LAG の理事会が審査を行います。例えば、Joutsenten reitti の理事会メンバーは現在 13 人で構成されていますが、彼らは上記の 250 名以上の会員の中から毎年選出されます。そして、彼らが 2 ヶ月に 1 度、申請案件について多数決制で審査を行います。ただし、フィンランド独自のルールとして、理事会メンバーは、①自治体からの代表者、②地域団体・企業、③一般地域住民の 3 グループで、かつそれぞれ 3 分の 1 ずつのメンバー数から構成されていなくてはなりません。EU 規則では理事会メンバーの 50% 以上が民間部門であることを定めているため、これに比べると、フィンランドの LAG はより民間部門の意向が反映されやすいように工夫されていると理解できます。

Joutsenten reitti では前期 LEADER 事業期間（2007-13 年）において、合計 196 件のプロジェクトに助成を行いました。このうちの 43%は農村地域における中小規模ビジネスの立ち上げ、28%はコミュニティ活動、13%は文化芸術活動、12%は青少年交流事業、9%は観光事業というように、実に多様な取り組みへの支援を行いました。例えば、高齢者ケアホーム事業の立ち上げ支援や失業者を雇用するための木工加工所の創設等、地域内の弱者を支援する活動にも積極的に LAG が関わってきたことが Joutsenten reitti が高く評価されてきた理由だと Petri さんは言います。

（2）3 名の雇用は、Joutsenten reitti の総予算の 16%分を充てています。フィンランドの規則では LAG 予算の最大 25%を雇用に充てることができますが、Petri さん達はより多くのプロジェクトへ助成できるようにと 16%に設定しています。

NYAG

また、バルト海の対岸に位置するラトビアのLAGと協力しながら、Joutsenten reitti 内の鉄鋼会社の製品をラトビアへと輸出する販路開拓を支援したこともありました。このように他国のLAGとも連絡を取りながら、お互いの地域内の企業（主に中小企業）が持つ製品や技術に関する情報交換を行い、ニーズに合わせたマッチングが行えることもLEADER事業の強みであるとRinneさんは語ります。

今期（2014–2020）は、前期よりも多い260件以上のプロジェクト助成を行い、過去最高数を記録しました。Rinneさんによれば、このように増えた理由として、新型コロナウィルスの蔓延によって、①経済的に打撃を受けた中小企業が支援を求めたこと、②ロックダウン中に地域内で過ごす時間の増えた住民が新しいボランティア活動をスタートする機会が増えたこと等を挙げています。年間を通じて常時プロジェクト申請が行えるという利点(3)も活かして、このような直近の緊急課題やアイディアに対して柔軟に対応できるところもLAGの受け皿の広さ（適応力の高さ）を示していると言えます。

Joutsenten reittiでは、新型コロナウィルスの蔓延以降、2ヶ月に1度の理事メンバーによる審査会は全てビデオ会議での開催となりました。Rinneさんは、ビデオ会議の利点として審査スピードが向上(4)したことを挙げますが、他方、みんなで一堂に会して話しあう場こそ、相互理解や共同意識の向上に欠かせず、またイノベーションの種に直結すると考えます。そのため、早くコロナ禍が収束し、地域住民の集合する場としてのLAGが再開できることを願っています。

まとめ

最後にフィンランドのLEADER事業が地域住民に広く受け入れられ、成功事例として注目されてきた理由をまとめます。まず、フィンランドでは歴史的に小規模な複数のクンタが広域的に結びつき、調整を行ってきたことがLEADER事業の核となるLAGの設立および運営の成功に起因したと考えられます。また、LAG事務局が提供する申請時におけるきめ細かいサポートや、民間部門の意向が反映されやすいように考慮されたLAG理事会メンバーの構成比、さらにLAGに予算利用の決定権が完全に譲渡されている点も、申請に対する障壁を下げ、かつ現場で真に必要とされるプロジェクトが助成を得やすい状況を生んでいます。

（3）フィンランド以外のEU加盟国の中には、申請期間を設けているLAGもあります。
（4）一目で分かるように工夫した申請書が増える等の変化があったとPetriさんは言います。

活動予算に関しても、EU、国、クンタ、民間とそれぞれが資金を拠出しており、プロジェクトを選ぶ側も選ばれて実行する側も責任を持って、持続的な地域づくりに向けた取組への合意形成が進められています。

複数のクンタにまたがった数万人の地域に数百件のプロジェクトが実施されるということは、地域住民の大半が常に身近にこうした自発的プロジェクトを観察し、または参加していることを意味します。LAG の活動が広く知られ、たくさんの関係者を生み出すには、地元新聞や SNS といったメディアの力も重要だと Rinne さんは言います。また Rinne さんは Joutsenten reitti での成功体験を踏まえて、2006 年よりアフリカのモザンビークでも LEADER 事業を立ち上げる取組にも従事されています。上記のような成功要因を踏まえれば、どんな国・地域でも LEADER 事業は実践できると Rinne さんは語りました。

参考文献

Wage P & Rinne P (2008) A Leader Dissemination Guide Book Based on Programme Experience in Finland, Ireland and the Czech Republic. Helsinki: Rural policy committee.

大江佑輝（2015）『EU の LEADER 事業を通じた地元主導型の地域振興 ～フィンランドにおける事例調査を通じて～』(一財) 自治体国際化協会 ロンドン事務所 Clair Report No.425.

奥田仁（2005）『フィンランドの農村地域発展』開発論集，第 75 号：83–97.

NYAG

フランスの LAG の事例　地理的表示産品を活用した LEADER 事業 「アルデシュの栗」の場合

須田 文明

アルデシュの LAG

フランス中南部の山がちな地帯のアルデシュ県では「州アルデシュ山自然公園 PNR」と他の二つの市町村連合を加えた三つで Ardèche3 という LAG が構成され、LEADER 地域として地域づくりに取り組んでいます。この県の 335 市町村のうち 232、人口 16 万 6,000 人がこの LEADER 事業にカバーされています。2016 年から 2022 年までの期間に、欧州農村振興基金から 629 万ユーロの補助金を受けることになっています(注)。

この LEADER 地域 Ardèche3 では「私たちの地域資源は未来へのパスポート」を標語に、以下の４つの戦略的方針が立てられています。

・農村地域に見合った持続的都市計画
（街の中心部の既存の建造物の修復など）
・農村資源の活用と保全
・バランスの取れた農村経済
（循環型経済（サーキュラー・エコノミー）、地産地消など）
・責任ある地域
（若者への地域の魅力発信など）

栗をシンボルにした地域づくり

アルデシュ県は栗の最大産地で、5,000 トンほどの生産量があり、フランス生産量の半分を占めます。穀物の作れない山がちな県のため、「貧者のパン」である栗を生産してきたのです。フランスの平均経営面積が 55ha であるのに対して同県では 28ha でしかありません。また絹織物の産地であるリヨンに近かったために、かつては養蚕も盛んでしたし、こうした織物を染める染料の原料として栗の木のタンニンが利用されたり、鉄道の枕木や付近の炭鉱の柱などに、頑丈な栗

（注）本コラムは森崎・須田（2022）の要約です。

の木が使われたりしました。
しかし戦後の離村や、生産者高齢化、海外（イタリアやスペインなど）からの安い栗の輸入により、栗林が放棄されるようになりました。

そのようななか、LEADER 地域 Ardèche3 では、栗をシンボルマークにして地域振興に取り組む動きが出てきました。1992 年には環境省の「景観 100 選」にアルデシュ県のサン・ピエルヴィユ村の栗の段々畑が選定され、1994 年には、アルデシュの栗とその景観について、農業省等が後援し全国料理技芸委員会 CNAC が選定する「味の景勝地」に選ばれています。GATT のウルグアイラウンド交渉の際に、貿易自由化のためにフランスの映画業界が米国ハリウッド映画に席巻される、と危機を抱いたフランス文化大臣が「文化は貿易自由化の例外である」と主張したこともあり、伝統的な食や農村景観を文化として保護する気運が高まったのでした。

在来の栗の保全と高付加価値化

アルデシュの栗は在来種の小粒の栗が多いため、クレマンフォジェやアンベールといった高級マロングラッセ、マロンクリームで有名な現地の加工企業も海外からの栗を輸入するようになっていました。それにたいして、地域の生産者団体は在来種の栗を高付加価値化するために 2006 年に統制原産地呼称 AOC（2014 年に原産地保護産品 PDO）を取得しました。当初は原材料価格の高騰を警戒していたこうした加工企業も、PDO を冠したアルデシュの栗を使用することで、加工品の高付加価値化に取り組んでいます。
LEADER 地域 Ardèche3 では、生産者と企業の関係は「アルデシュ栗業種委員会 CICA」という協議会のなかで調整されています。現在、PDO 栗への需要が増加し、450 トンほどの増産が必要となっています。そのために、自然公園や農業会議所の普及員を通じて栗の木の伐採や剪定、接ぎ木や、苗木にたいして、LEADER 事業からの補助金が支出されています。
例えば 2017 年～ 2020 年の「伝統的栗林復興計画」では、接ぎ木について栗 1 本につき 80 ユーロ、剪定 80 ユーロなどの支援の他、伐採した栗の木を運び出す際の道路整備などが支援されています。補助金を受けられるのは PDO に認定される品種の栗の木であり、ハイブリッド品種はこれを受けることができず、補助金の受益者は PDO 栗生産に取り組まなければなりません。

このようにPDO栗の生産振興と地域振興とが一体となっています。PDOとして認定される市町村の数は188であり，そのうち116は州アルデシュ山自然公園に属しています。また近年ではエネルギー源としての栗の木が注目されています。所有者を特定できない栗林の同定、栗園再生に関心を持ちそうな地主の巻き込み、栗での新規就農希望者と地主とのマッチングなど、地元をよく知っている村会議員への働きがなされているところです。

秋のバカンスと栗祭り

アルデシュ県は典型的な条件不利地帯で観光立県です。夏のバカンス中は、急峻な渓谷でのカヤックやキャンプなど、自然資源を生かした農村ツーリズムで賑わいますが、20年ほど前から、万聖節の秋のバカンス（10/21-11/4）に合わせて栗祭りが県内各地の10か所ほどで開催されています。

県庁所在地のプリヴァ市では3日間にわたり祭りが開催されます。栗祭りには自然公園や栗業種組織CICA、アルデシュ栗保護組合SDCA、農業会議所、ツーリズム振興協会、アルデシュ栗文化振興協会などが関与しています。栗祭りの実行委員会が出店規則などを決め、地元の事業者が出店できることとなっています。ある村でのイベントでは、栗林のハイキングと栗粉加工施設の見学、栗料理コンテスト、フォークダンス、屋内大会場での郷土料理の会食などが開催されています。2017年の栗祭り全体では、4万2,540人の参加、452の出店、3,517食の配膳、直接的な経済効果80万ユーロ、間接的波及効果350万ユーロをもたらしています。

近年では病虫害や気候変動により栗の生産量が大きく減少し、関係者を心配させていますが、栗をシンボルとした地域振興が地道に続けられています。

参考文献

森崎美穂子・須田文明（2022）「フランスにおける食の文化遺産化：栗の食文化に見る地域振興と文化政策」『文化政策研究』第15号.

注：100万ユーロは日本円に換算すると約1.3億円です。現地の人たちにとって100万ユーロは、日本での1億円位の価値があります。

NYAG

ドイツのLAGの事例 「村の店」の開業
いつまでも安心して暮らせるように

市田 知子

ドイツの農村でも人口が減少し、小さな商店が次々に閉店しています。そのため、車を運転しないお年寄りなどが買い物に苦労しています。ドイツ北西部にあるオターセンという村では、このような「買い物難民」の問題を解決するべく、LEADER事業を活用して2001年に「村の店」（Dorfladen）を開業しました。「村の店」は2021年、20周年を迎えました。

アラ・ライネ谷のLAG

まず、オターセン村を含むアラ・ライネ谷地域と、そこでのローカル・アクション・グループ（LAG）の活動内容について簡単に紹介しましょう。アラ・ライネ谷地域は、ドイツ北西部を流れるアラ川とライネ川という2本の川沿いに広がる平坦な地形をなしています。

この地域のローカル・アクション・グループ（LAG）は、まずLEADER第2期（1995～2000年）にニーダーザクセン州のモデルに指定されました。その後、LEADERプラス（2001～2006年）、LEADER第4期（2007～2013年）、LEADER第5期（2014～2020年）と連続して採択され、活動を続けてきました。当初、LEADER II（第2期）では、2本の川が合流する中心部に位置する3つの町村（シュヴァムシュテット、アードレン、レッテム）だけが参加していました。次のLEADERプラスからは8町村に範囲を広げ、現在に至っています。第4期以降は「エネルギー100%自給の地域」をスローガンに掲げ、風力、太陽光、バイオガスなどの再生可能エネルギーの利用拡大にも熱心に取り組んでいます。

アラ・ライネ谷LAGは2017年時点で8町村それぞれの首長、ニーダーザクセン州事務所の職員のほか、民間人36名の、合計51名から構成されています。民間人はいずれも11の分野（エネルギー、居住、自然・景観保護、農林業、商工業、経済・労働、観光、教育、社会的弱者の包摂、世代・若者問題、芸術・文化）のどれかに属しています。LAGのメンバーに就任するかどうかはあくまでも自らの意思により、その任期も自由です。代表はメンバーの中から互選されます。

オターセンの「村の店」の開業と運営

さて、ここで紹介するオターセンは人口約 500 人の旧村です。1972 年にアラ・ライネ谷地域 8 町村の一つであるキルヒリンテルン町に合併されました。

オターセンでは 2001 年、村に唯一残っていた大手スーパー、エデカが撤退し、最寄りの店までの距離が 8 キロメートルにも及ぶことから、その前年の 12 月末、村の有志 63 名が団体（「村の店」協会）を結成しました。そして、10 万 3 千マルク（約 51,500 ユーロ）の自己資金に加え、LEADER 事業（LEADER プラス）の補助金およびキルヒリンテルン町の支援（それぞれ約 12,500 ユーロ）を受け、エデカの空き店舗を改築してドルフラーデン（村の店）を開業しました。2001 年 4 月、エデカ撤退からわずか 2 週間後のことでした。

「村の店」協会のメンバー 63 名はどのような人たちだったのでしょうか。協会の発起人であり、現在、「村の店」協会の代表を務めるリューニングさん（60 代前半）によると、男女はほぼ半々、年齢層は 45 〜 55 歳（最高齢は 80 歳）とのことです。リューニングさんをはじめ多くは仕事をもっている現役世代でした。当時のキルヒリンテルン町長が LAG のメンバーであり、協会の監査役を務めていたことから、LAG との連携も問題なくできました。

開業から 10 年を経た 2011 年には、それまでの店舗が手狭になったことから、村内で空き家状態になっていた築 200 年の個人住宅を購入、改築し、新店舗とし、カフェを併設しました。この移転と改築に際しては、自己資金 5 万ユーロに加え、カフェ部分について LEADER 第 4 期の補助金 26,280 ユーロを用いました。さらに、EU および州の農村振興プログラムのうちの「生活の質の向上」助成、キルヒリンテルン町やフェルデン郡からの支援も受けることができました。

村の暮らしをまるごと受けとめる場所

「村の店」は昔ながらの個人商店（ドイツ語でいう「エンマおばさんの店」）とは異なり、冷凍食品も数多く揃え、宅配受付、銀行の ATM も備えています。地元の食品メーカーの製品、近所の農家の作った蜂蜜やジャムなどもあり、大手スーパーとは一味違います。営業時間は曜日によって異なりますが、毎朝、6 時半には開店しています。

併設のカフェは、原則として日曜日と祭日の午後のみの営業ですが、注文に応じて朝食ビュッフェ、誕生日パーティーが開かれたり、編み物教室、視察者のための説明会場になったりします。サイクリングの途中に立ち寄る人たちもいます。

「村の店」は単なる買い物の場ではなく、年々、高齢化する住民の居場所であり、地域内外を問わず交流の場でもあり、地元産の農産物や加工品を売る場、買える場でもあります。「村の店」協会の代表を務めるリューニングさんは、本業の銀行員の傍ら、2012 年にはドイツ全体の「村の店ネットワーク」を立ち上げ、「村の店」の意義、開業や運営のノウハウを広めるべく方々を訪れています。2017 年に初めてお会いした時にうかがった、「うちの店には朝と午後と、一日に二度、来る人もいます。買い物をしてはお喋りをして過ごしていますよ。時間帯が違えばお喋りの相手も違いますからね。この村に住むお年寄りが、村でさらに年をとっていける環境をつくりたいのです」というお話が印象的でした。

ドイツのLEADER地域

飯田 恭子

ドイツはヨーロッパの中央に位置しています。国土面積は35.7万km^2で、人口は約8,300万人です。1990年に東西ドイツが統一されました。ドイツの政治体制は連邦共和制です。16の州があり、東京や大阪のような大都市はありません。

EU域内では、90%が農山漁村地域（ルーラル・エリア）に分類されています。ドイツでも同様に、国土の90%がルーラル・エリアに分類されています（食料農業省 2020）(5)。国土の30%が森林、51%が農地です（連邦環境省 2020）(6)。

ドイツにおけるLEADER事業の特徴

ドイツでは、州政府が主に農山漁村地域の振興政策を担っています。ドイツの各地では、1991年からLEADER事業が実施されています。一方、連邦全体でLEADER地域間の交流を促し、知識移転を推進するために、ドイツ連邦農業・食料庁には、ドイツ農村地域ネットワーク（DVS）(7)という部署が置かれています。DVSのシュテファン・ケンパーさんに、ドイツの農山漁村の振興政策におけるLEADER事業の位置づけについてお話を伺いました。

「過去も、現在も、LEADERは優良事業としてドイツで知られています。LEADER Ⅰ（1991年-1993年）には、ドイツで6地域がLEADER事業を実施しました。予算は約4.5百万ユーロで(8)、地域づくりに内発的に取り組む先進的な地域が、モデル地域として助成されました。

その後、LEADER事業はドイツ全土に普及し、予算は増加し続けました。

(5) Bundesministerium für Ernährung und Landwirtschaft : BMEL (2020) Ländliche Regionen verstehen, Fakten und Hintergründe zum Leben und Arbeiten in ländlichen Regionen, p6, p19, Berlin.
https://www.bmel.de/SharedDocs/Downloads/DE/Broschueren/LaendlicheRegionen-verstehen.pdf?__blob=publicationFile&v=12　2021年6月25日参照.

(6) Umweltbundesamt (2020) https://www.umweltbundesamt.de/daten/flaeche-boden-land-oekosysteme/flaeche/struktur-der-flaechennutzung#die-wichtigsten-flachennutzungen.

(7) 連邦農業・食料庁ドイツ農村地域ネットワーク（DVS : Deutsche Vernetzungsstelle Ländliche Räume）は、連邦農業・食料庁（BLE: Bundesanstalt für Landwirtschaft und Ernährung）に属し、連邦レベルでLEADER地域のネットワークの構築と維持、知識移転を推進している。欧州農業農村振興基金（EAFRD）を財源に運営されている。

(8) 6億円程度。

第5期のLEADER（2014年-2020年）では、ドイツに321のLEADER地域ができました（DVS 2019a）(9)。ドイツの全ての州政府による7年間の農村振興政策の予算90億ユーロのうち、10億ユーロ(10)がLEADER事業に充てられました。

LEADER事業の普及に伴い、その効果について社会の関心が高まりましたが、一方では、州政府やLAGには、補助金の使い道に関する透明性が求められるようになりました」（DVS 2019b）

ドイツでは、主に州政府が農業・農村振興政策を担っているため、州ごとにLEADER事業の制度は異なり、LAGの活動も左右されています（Pollermann et al. 2020）。ここから先は、ヘッセン州のLEADER事業を例に紹介します。

ヘッセン州では、人口5万人から15万人までの範囲で1つのLEADER地域をつくります（2014年-2020年）。LAGは4から15くらいの数のゲマインデ（Gemeinde）とシュタット（Stadt）呼ばれる、市町村のような基礎自治体をまたがる範囲で組織されます。地域の住民や組織が自発的にLAGを結成し、『地域振興戦略書』を策定し、州に提出します(11)。LAGは、個人や組織代表者の加入・脱退が自由な会員組織です。NPO法人のようなフェアライン（Verein）、地方公共団体の広域連合（Zweckverband）といった法人を設立します。

LAGがEUに承認されると、地域の人たちや組織からLEADERの助成事業を公募し、地域振興戦略書に沿って選定し、助成事業として州に推薦します。LAGは、戦略策定から事業の推薦（一部の事業は自ら実施）、事業評価、一連のプロセスを記録し、州への報告までを一貫して行います。LAGの運営を含む、LEADERの助成事業は、EU、連邦、州（一部はゲマインデとシュタット）の公的資金と、事業実施者の自己負担分や寄付金などの民間資金でまかなわれます。

ドイツ・ヘッセン州のLAGの特徴

ヘッセン州では、LEADER事業が始まった1990年代には、地域づくりに内発的に取り組む地域、自然公園・国立公園で農村観光に取り組む地域が、LEADER地域となっていました。当時、EUは条件不利地域のみを事業の対象地としていました。

(9) DVS (2019a) https://www.netzwerk-laendlicher-raum.de/regionen/leader/　2019年9月20日参照.

(10) 1,300億円程度。

(11) ドイツでは、州ごとに「REK」、「LES」など地域振興計画書・戦略書の呼び名が異なります。

その後、2000 年に第 3 期の LEADER 事業が始まった際には、EU は全ての農山漁村を事業の対象地としました。LEADER 事業の成功が広く知られていたため、都市部を除く州全体に事業が普及しました。一方、地域の住民や組織の自発的な LAG とはほど遠い、行政主導で形だけの LAG も現れました。

ヘッセン州の LEADER 地域では、個人も、組織も、LEADER 助成事業の企画案をいつでも LAG に提出できます。企画案は、LAG の理事会によって、地域振興戦略の趣旨に合うかどうか審査され、選抜されます。理事会は 2 か月に 1 度ほど開催され、企画案について審査し、多数決制で選抜します。理事会は、LAG の会員から選出された 10 人前後で構成されます。LAG や LAG の理事も、助成事業に応募できますが、事業に直接関係する理事は選抜で投票できません。

LAG のメンバーは、①自治体からの代表者、②市民組織からの代表者、③企業や組合、職業団体、一般地域住民の代表者の 3 グループで構成するという、ヘッセン州独自のルールがあります。理事の人数、グループの構成比は LAG が自由に決められます。しかし、EU の規則により、実際に投票権のある理事の数は限定されます。②と③をあわせた公益・民間部門が、半数以上の投票権を持っています。

企画案が採択されると、LAG による助成事業の推薦書をリージョナル・マネージャーが作成し、郡を通じて州政府に提出します。助成事業の申請者は、郡を通じて州政府に必要な申請書類を提出します。その際、申請者は、申請書類の書き方や予算計画等に関して、リージョナル・マネージャーから、きめ細やかなアドバイスを受けます。LAG 事務局には、リージョナル・マネージャーを含む 2 名から 3 名のスタッフが常勤しています。助成事業の申請は、郡、州、州銀行の三者に審査され、認可されます。監査は、州と欧州監査院が行います。

2021 年現在、ドイツの LAG は、2021 年から 2027 年までの地域振興戦略を策定しています。コロナ下ですが、ビデオ会議を使って、LAG のメンバーは協議を重ねています。連邦農業・食料庁ドイツ農村地域ネットワーク（DVS）は、LAG のために、ビデオ会議を使って地域振興戦略策定の研修会を開催しています (12)。気候温暖化対策などの欧州グリーンディール、持続可能性、農村のモビリティ、デジタル化などが研修会のテーマです。筆者も日本からオンラインで参加しましたが、毎回、300 名ほどの参加者が活発に意見交換していました。

(12) DVS (2021) https://www.youtube.com/channel/UCnNu6llofxL3pyX1NA0uivQ 2021 年 04 月 13 日参照.

LEADER でつながるドイツの農村

飯田 恭子

LEADER 地域では、さまざまな人々と組織が連携して、地域づくりに取り組んでいます。多様な主体が連携した地域づくりとは、どのようなものでしょうか。ここでは、ドイツ・ヘッセン州の例をいくつか紹介します。

農村観光　カヌーの旅のための拠点整備の例

カッセルの近郊を流れるディーメル川沿いのヴェザー・ディーメル地域（現在のヘッセン・シュピッツェ地域とカッセラー・ベルクラント地域）では、1990 年代から農村観光に取り組んでいます。

ディーメル川では、多くの人たちがカヌーで旅します。川の上流にある、中世の面影を残す小さな街からカヌーでこぎ出します。旅の終着地は、歴史的な運河市場があるバロック様式の街です。水面を覆う柳の木のトンネルをくぐり、原生林が生い茂る急流をくぐり抜けると、そこには田園風景が広がっています。

1990 年代の初めには、ディーメル川の川沿いには船着場がなく、カヌーに乗る人たちは田園を眺めながら通過するだけでした。その様子を見ていた、古民家に暮らす芸術家のご夫婦が、LEADER の助成金を利用して、家の庭に接する川岸に小さな桟橋を設置しました。そして、古民家の納屋をギャラリーとカフェに改修しました。すると、旅人たちは桟橋にカヌーを停めて、手焼きのケーキとコーヒーで一休みし、展覧会や室内楽を楽しむようになりました。

この古民家を出てカヌーで進むと、グリム童話の舞台が広がります。少女が黄金色の髪をたらした塔や、いばら姫の中世の城などが川畔に姿を現します。そこで、この地域の LAG のリージョナル・マネージャーは、城の所有者などに対して、川畔に桟橋を設置するように呼びかけました。

LEADER の助成事業として、いばら姫の城のテラスにはカフェがつくられ、文化財修復のための職人の養成所、古い農機具のある農業技術博物館が整備されました。また、城の周辺にサファリパークのような在来家畜の動物園もつくられました。その結果、カヌーで旅する人たち、中世の城の修復を学ぶ青年、博物館や動物園に遠足で立ち寄る小学生の姿が、地域で見られるようになりました。

また、川畔の牧場では、草を食む牛や羊の姿が見られます。川畔に立地する農家は、LEADER の助成事業で農場を改修し、郷土料理を提供する農家レストラン、ビアガーデン、干し草のベッドのある民宿などを始めました。

こうして、この地域では、LEADER の助成事業として、46 キロメートルにわたる川沿いの田園に、たくさんのカヌーの船着場と観光拠点が整備されました。職住が隣接しているため、女性の働く場がたくさん誕生しました。

地域ブランド「食べて保全」の例

須田文明さんがこの本の中で、在来種の栗に光をあてたフランスのアルデシュにおける地域ブランドづくりについて紹介しているように、ドイツにも地域の食文化に光をあてた地域づくりがあります。

ドイツの中部には、ロエンという３つの州をまたがる山岳地があります。ロエンは第二次世界大戦後に、東西ドイツに分断されました。辺境の地となり、戦後の発展から取り残されたロエンには、暗い影のあるイメージがつきました。

山の頂からロエンを見渡すと、丘陵が波のように続いています。牛や羊が放牧され、森林や村が点在する農風景は、「遠くまで広がる大地」と呼ばれています。ドイツの統一後、ロエンに絶滅の危機にある野生の動植物が生息することが世間に注目され、ロエンに立地する３つの州が、1991 年にロエンをユネスコの生物圏保存地域に登録しました。ロエン全体では、約 20 万人が地域の多様な生態系を破壊しないように配慮して農林業やその他の産業を営み、暮らしています。

九か月冬、三か月寒い、と言われるロエン高地では、在来種のロエン羊が放牧されています。19 世紀には、ロエン羊の肉は、パリやロンドンのレストランで提供されたほどの名産品でした。しかし、消費者の食肉の嗜好が豚肉や牛肉に変わったこと、ロエン羊は小型で肉があまりとれないことから、一時、その飼育農家は減少しました。ロエン羊が減少し、「遠くまで広がる大地」はブナの森林に還ろうとしていました。

在来種のロエン羊を保全しようと、自然保護団体が離農する農家から最後の羊の群を買い取って飼育し、その販路をさがしたのは 1985 年でした。ロエン羊の料理の提供を申し出たのは、スイスの高級レストランやフランクフルトのホテルで修行し、実家の飲食店を継ぐために地元に戻っていた 2 人の若い料理人でした。

彼らは、故郷のためになにができるだろうかと思いを巡らせていました。また、近所のレストランとの差別化も考えていました。ドイツでは食文化の多様性が失われつつあり、飲食店ではトンカツとフライドポテトを出すのが一般的です。2 人の若い料理人は、伝統的なお祝いの料理であるロエン羊の郷土料理を復活させました。そして、生産者のために羊一頭の全ての肉を買い取れるよう、新しい郷土料理を次々に開発し、売り出していきました。この取組は「食べて保全」と呼ばれ、ロエン羊の需要は順調に伸び、飼育農家も増えていきました。

ロエンには、在来種のリンゴが 300 種類以上もあります。厳しい冬を越えて、北国に春が来ると、牧場には果樹の花が満開になります。2 人の若い料理人は仲間を増やし、農家や精肉業者、飲料会社と連携して「ロエンのものを - ロエンのために」というグループをつくりました。

彼らは、リンゴとジャガイモの「空と大地」、リンゴやサクランボの「牧場に散在する果樹」、猟鳥獣の「野生」、「ミルクとはちみつ」というように、地域の人たちから忘れ去られてしまった郷土の食材を次々と発見し、季節ごとにテーマを決めて料理しました。その際、誰が、どこで、どのように食材を生産しているかメニューや店内に表示しました。そして、その食材を絶やさないことが、地域の農業と「遠くまで広がる大地」、在来種の家畜や果樹、農地に生息する野生の動植物を守ることにつながると、お客さんに説明し続けました。飲食店と生産者、加工業者は連携して NPO 様の組織をつくり、地域の農業を持続させるために地産地消しました。

このように、LEADER 事業がなかった 1980 年代から、ロエン地域の人々は、「遠くまで広がる大地」の保全を自発的に行なっていました。1991 年に LEADER 事業が始まると、地域内で州ごとに設立された 3 つの LAG が、「食べて保全」の取組を加速させていきました。3 つの LAG の事務局、LAG のメンバーになった観光協会や精肉店、飲食店、自然保護団体、企業が「食べて保全」の広報を一気に展開したのです。

LAG のメンバーは、観光スポット、ハイキングロード、公共交通、精肉店、パン屋やスーパーなどのさまざまな小売店、飲食店に、観光ガイドブックやポスター、パンフレットを設置し、週末に余暇を過ごす地元の消費者や観光客にむけて、地場産品の PR をしました。

ポスターやパンフレットには、羊や牛が丘陵地に放牧された「遠くまで広がる大地」、森林や川辺、湿地、野生の動植物の写真が掲載されました。また、ユネスコ生物圏保存地域における、持続可能な農山村の暮らしと観光が紹介されました。

ロエンの３つの LAG は、その後も、長い年月をかけて「食べて保全」を支え続け、ロエンは地域ブランド化に成功しました。2008 年には、NPO 様のグループが、「総合ブランド・ロエン (Dachmarke Rhön)」を商標に登録しました。2017 年には、301 の飲食店や企業、自治体がグループの会員になり、うち 199 が商標ラベルを商品や職場に表示するまでに、地域ブランドの取組が広がりました。

2019 年には、ロエン内の６の郡が出資して「有限会社ロエン」を第３セクターとして設立し、マーケティングの専門家を事務局長に採用し、プロフェッショナルなチームが編成され、商標の管理を始めました。

持続可能なライフスタイル 「共同で保全・持続的に利用」の例

ドイツの冬の寒さは厳しく、地下室の巨大なタンクに数千リットルもの灯油を蓄えて越冬するのが一般的です。給油の費用は、家計に重くのしかかっています。

東日本大震災後、ドイツでは市民による再生可能エネルギーづくりと、それを利用する機運が一気に高まりました。当時、筆者はドイツにいましたが、ドイツの人々は、エネルギー源の安全性、気候変動対策の実施、地域資源の活用、家計における燃料費の負担減などについて、からみあわせて議論していました。

例えば、ヘッセン州の西部に位置し、約９万人が暮らすブルクヴァルト・エダーベルクラントには森林が広がっており、2014 年から 2020 年までの６年間に、６つの集落が、全世帯が接続できる木質バイオマスを使った地区暖房を整備しました。LAG の協力により、住民が資金を出しあって市民組合を設立し、LEADER の助成事業として燃焼装置などを整備しました。集落の人たちがボイラーに溜まった燃えかすの掃除、木材の仕入れ、暖房設備の管理をボランティアで行うことによって、家庭の暖房費を節約できるようになりました。

ブルクヴァルト・エダーベルクラント地域における持続可能なライフスタイルの探究は、地区暖房だけではありません。地域の人々は、近郊都市のマーブルクで用事を済ませることが多く、1人1台の自動車を持っていました。また、車を運転できない人たちは移動に不便していました。そこで、シューンシュタットの住民グループはNPOを設立し、LEADERの助成事業として、2台の電気自動車を購入し、カーシェアリングをはじめました。スマートフォン用のアプリも開発し、会員になると電気自動車を簡単に予約し、わずかな料金で利用できるようにしました。免許を持たない青少年や高齢者も、アプリで相乗りを申し込めます。スマホを持たない人は市役所に電話すると、役所の人が申し込みを代行してくれます。その後、市は2台の電気自動車を追加購入しました。

この地域では、持続可能性を追求し、デザインも洗練された商品の製造所も、LEADER事業で助成されました。例えば、TWIKEという電気自動車のカロセリーが起業しました。TWIKEは、スイスで発明されたヒューマンハイブリットの電気自動車です。グライダーのコックピットのような形をした操縦席がある、2人乗りの3輪車です。森や田園風景を走り抜ける姿は近代的で、最新モデルでは、時速190キロの速度が出せます。プラグからの充電のみでなく、走行中にペダルをこいで発電できます。リージョナル・マネージャーのシュテファンさんも愛用していて、市田知子先生はドイツ調査で同乗させてもらいました。

そのほか、近代的なデザインがインテリアに映える、家庭用薪ストーブの製造所もLEADERの助成事業として開業しました。伝統的な暖炉や薪ストーブでは、煙突からの排気で熱が奪われ、有害な微粒子が煙に含まれることも問題でした。しかし、この製造所の製品では、特殊な空気循環で釜の高温が保たれて、煙や灰が発生しません。また、排熱を利用して、お風呂やシャワーのお湯も沸かせます。

ブルクヴァルト・エダーベルクラント地域の人々は、気候変動対策と地域づくりを組み合わせることで、生活の利便性や経済性の向上につなげています。

誰にでも開かれたLEADER事業

ブルクヴァルト・エダーベルクラント地域のLAGは、生物多様性の保全、持続可能な社会と文化の発展にも取り組んでいます。2007年から2013年までの7年間には、105件のLEADERの助成事業が実施されました。7年間の予算は約2.4億円で、住民や民間の自己負担分や寄付金もあわせると、約17.5億円が支出されました。主な助成事業は、次の通りです。

①エネルギーと環境：

・市民エネルギー協同組合の設立と木質バイオマスを利用した、
　地区暖房の整備（6 つの集落で、それぞれ実施）
・電気自動車のカーシェアリング
・ヒューマンハイブリッドの電気自動車の製造所（起業）
・熱効率のよい家庭用薪ストーブの製造所（起業）

②観光と文化：

・グリーン・ツーリズムの認証登録
・サイクリング道の整備
・ハイキング道の整備
・観光地の生態系保全
・観光と地産地消

③仕事と居住：

・ユグノーの歴史の記録と保全
・持続可能な開発のための教育
・青少年のための読み聞かせ図書館
・地域出身の芸術家の作品群の設置
・多世代コミュニティの拠点整備

つながる、組み合わせる地域づくり

ドイツの LEADER 地域に関する初期の研究は、LAG が地域づくりを成功させた理由を明らかにしました（Ipsen et al. 1999）。

第一の成功理由は、LEADER 事業では、どの取組に助成金や寄付金を支払うか LAG が推薦するので、行政による意思決定のように、公平性を重視しすぎなくて済むからです。LAG は、自発性・多様性・将来性に着目して取組を選抜し、新しい力を湧きあがらせるように、やる気のある人たちや組織の取組を推薦します。

もし、行政が LEADER の助成事業を選抜する仕組であったならば、公平性を追求するばかりに、LAG のように軽やかには選べません。

第二の理由は、LEADER 事業は、助成対象となる取組・内容を限定していないため、どのような地域の個性も活かすことができるからです。

LEADER 事業では、地域の多様な立場の人たちや組織が LAG に参加し、どのような地域づくりをするか、話あって決めます。地域づくりの可能性は、たくさんの分野に隠れていて、それは地元の人にしか見つけられません。1 人でも多くの人、1 つでも多くの組織が LAG に参加することで、その可能性は見つかっていきます。

第三の理由は、LEADER 事業では、地域づくりに公益的に取り組む LAG が設置されたことで、誰が地域づくりのマネージメントを担うかが明確になり、地域の人々と組織が連携するための土壌ができたからです。

ドイツの LEADER 地域では、LAG にアドバイスしてもらったり、助成金の申請を手伝ってもらったりしたことを通じて、地域の人たちと組織の意識が変化しました。彼らは、自分たちの取組が、地域全体に与えるメリットにも視野を広げるようになりました。すると、他人や他のグループの利益も地域全体にメリットがあると気づき、ともに追求できるようになったのです。地域の人たちと組織が、互いに協力して活動するようになったので、地域づくりが飛躍したと考えられています。

この地域のいい雰囲気は、地域づくりの研究では、「社会資本」(Putnam 1993) と呼ばれたり、「ミリュー」(Ipsen 2000) と呼ばれたりしています。

参考文献

飯田恭子 , ズスト・アレクサンダー (2005a)「ドイツにおけるエコロジー農業による社会と環境の持続的発展に関する研究 –ユネスコの生物圏保存地域ロエンにおける事例『食べて保全』–」, 『都市計画論文集』, No.40-3, 日本都市計画学会：1-6.

Dachmarke Rhön e.V. (2020) https://dmr.marktplatzrhoen.de/zeichenundmarkenrhoen

Iida, Kyoko (2009) *Ästhetik und nachhaltige Entwicklung in Bergregionen*, Universität Kassel.

Iida, Sust und Schulte (2014b) *Evaluierung der Umsetzung des Regionalen Entwicklungskonzeptes 2007-2013 der LEADER-Region Burgwald-Ederbergland*, Region Burgwald - Ederbergland e.V..

Ipsen D. (2000) Poetische Orte und Regionalentwicklung, Information zur Raumentwicklung, Heft 9 / 10.2000)

Putnam R. D. (1993) *Making democracy work : civic traditions in modern Italy*, Princeton University Press.

居心地のよい場所をつくる

飯田 恭子

ドイツでは、偶然の会話を通じて、社会活動が生まれることに期待が寄せられています。デンマーク王立美術院のヤン・ゲール先生によると、散歩や趣味、余暇などの「特に必要ではない活動」は、居心地のよい場所で行われます。この「特に必要ではない活動」をしている際に、人々が偶然に出会い、あいさつや会話をするうちに、人々のつながりや社会活動が生まれるそうです（Gehl 1971, 1995)。

ドイツの農村では、LEADER の助成事業として、空き家や廃校、廃線の駅舎、公民館を改修した、コミュニティ・カフェがたくさん誕生しました。レトロ建築の懐かしいカフェ、近代的でおしゃれなカフェ、芸術カフェなど、そのイメージもさまざまです。

LEADER 地域では、NPO のような公益的な組織が、LAG とは別途に設立されて、少子高齢化の課題に取り組んでいます。LEADER 地域では、必ずしも、LAG が全てを担っているのではありません。地域内の他の組織が果たす役割や、地域コミュニティの力がとても重要です。

市田知子先生がこの本の中で紹介している「村の店」が、すばらしい例です。

LEADER 地域では、そのほかにも、若いお医者さんが子育てしながら働くシェア診療所、子育てや介護を担う家族を支援する拠点、子どもからお年寄りまでが世代を超えて交流する居場所などが運営されています。

前述のロエン地域では、夜になると公民館を改修した交流拠点にカフェが開かれ、住民が集まって映画を鑑賞しています。また、週末にもカフェが開かれ、公民館の庭にあるパン焼き釜で、ピザを焼きながら集います。住民が集うことをきっかけに交流が生じて、さまざまな村の課題が住民間で共有されるようになりました。例えば、児童が放課後に家で留守番していることや、難民の青少年が孤立して暮らしていることが、住民に知れ渡りました。

その結果、定年退職したボランティアの人たちが、共働き夫婦の子どもたちと放課後に公民館で過ごしたり、難民の青少年と公民館の庭で野菜を栽培したり、一緒に過ごすようになりました。ボランティアの人たちは、レンタルおじいさん、レンタルおばあさんという愛称で親しまれ、村の人たちに感謝されています。
　この公民館の管理維持費は、寄付金とわずかな利用料、LAG のメンバーが申請したさまざまな補助金でまかなわれています。

　ドイツの地域づくりでは、農山漁村の生活を支える、助け合いの仕組の構築が重要な課題となっています。ドイツには、計画的に自助活動を実施するべきであると考える人もたくさんいます。
　一方、居心地のよい場所をつくり、おいしい食事や楽しい会話のために集い、小さな社会活動が起きると喜んだり、感謝したりしながら、日々の地域づくりの活動を積み重ねるやり方もあることを、ドイツの LEADER 地域は教えてくれます。

参考文献

飯田恭子（2019）「ドイツの農村振興と『詩的な場所』」『農業』令和元年（2019）10 月号，大日本農会：54-58.
ゲール・ヤン [北原理雄訳]（1971）『屋外空間の生活とデザイン』，鹿島出版会.
ゲール・ヤン（1995）インタビュー，山形.

3

日本に根づく地元主導の地域づくり

日本の各地には、地元主導で取り組んでいる画期的な農山漁村の地域づくりがたくさんあります。ここでは、日本の取組を紹介します。

モバイルアプリを用いた「ソーシャルスコア」導入で助け合いのまちづくりへ　宮崎県綾町

佐々木 宏樹・浅井 真康

綾町は宮崎県のほぼ中央部、宮崎市から西方に約 20㎞にある中山間部の町です。日本最大級の照葉樹林を有する当町は、半世紀にわたって森を守り、自然と共生する地域づくりを行ってきました。全国に先駆けて推進した有機農業、手づくり工芸の里づくり、花いっぱい運動、綾の照葉樹林プロジェクトなど、町内外の多様な主体が連携しながら先進的な町づくりを展開してきました。これらの自然と人間の共存に配慮した地域振興策や照葉樹林を保護・復元する「綾の照葉樹林プロジェクト」などの取組が評価され 2012 年にはユネスコの「生物圏保存地域（通称ユネスコエコパーク）」に綾町全域が登録されました（朱宮ら 2013）。

林業の衰退とともに過疎化が深刻だった 1960 年代に比べ、現在では、綾町だからこそできる森林浴やものづくり体験、安心・安全な食を求めて全国各地から多くの観光客が訪れています。

現在の人口は 7,345 人（H27 現在）で、10 年前と比べてわずかに減少してはいるものの、0 ～ 14 歳の人口は増加傾向にあります（綾町 HP）。これは綾町の豊かな自然環境や安心・安全の農産物等に惹かれて都市部から移り住んでくる子育て世代が増えていることを意味します。また近年では観光や移住といった直接的な往来に加えて、ふるさと納税を通じて綾町と関わりを持つ都市部の人たちも増えています（朱宮ら 2016）。

地域らしさと地元主導の町づくり

綾町の地域らしさは、照葉樹林の存在抜きには語れません。町の総面積（9,519ha）の約８割は森林で、このうちの約８割は国有林等の公有林が占めています。1950年代､九州最大規模の綾営林署がもっとも大きな地場産業でしたが、国有林事業の縮小と機械化の進展によって雇用が減少したことに加え、1960年の綾川総合開発（ダム建設）終了を契機に、人口流出による過疎化が急速に進みました。そのような中、国有林の伐採計画の通知が町に届き、当時の町長（郷田實氏）は、その大半を占める貴重な自然林である照葉樹林を残さなくてはならないとして、1965年に発足した自治公民館を中心に国に対して伐採計画の取り下げの住民運動を展開し、念願叶い伐採計画は白紙撤回され、綾の照葉樹林は保全されることとなり、1982年には九州中央山地国定公園に指定されました。

急速に進んだ過疎化による地域の経済復興対策として、町は照葉樹林の森の自然生態系を発想の原点として、化学肥料や農薬に頼らない、消費者と生産者の健康と地域環境保全を一体的に実現する「自然生態系農業」（いわゆる広義の有機農業）を推進し、町の面積のわずか約８％しかない耕地で、なおかつ生産性の低い肥沃でない条件不利地域での農業生産に「健康・安全」の付加価値を添加することによって生産力と競争力を向上させるための施策を展開することとしました。全国に先駆けて1988年に「自然生態系農業の推進に関する条例」を制定し、「選んで」もらえるブランドづくりにも大きく貢献し、「有機農業の町　綾町」としての大きな消費者からの信頼を勝ち取ることができました。

また、綾町ではこれに平行して、照葉樹林の恵みを再生可能な範囲で活用する木工や陶芸、染色などの地域の伝統工芸を磨き上げる「手づくり工芸の里」づくりを推進し、高度経済成長下の大量生産･大量消費の時代に「個性」や「癒やし」を求める消費者の潜在的なニーズをとらえ、「ほんもの志向」のベクトルを農業に限らず全ての分野で一貫して追求してきています。

日本一
照葉樹林の自然

そして、約 50 年間、森林を保護し、森林からの生態系サービスを利活用しながら地域づくりを取り組んできた、その取組みが認められ、2012 年に綾町は町全体がユネスコエコパーク(BR)に登録されました。綾町民にとって照葉樹林(自然)は、まさしく「生命と生活文化の基盤」と言えます。1989 年には町民がつくった農産物や加工品などを販売する「綾手づくりほんものセンター」が役場庁舎横に設置され、常に町内外からの利用者で賑わっています。また、近年ではふるさと納税における返礼品としての有機野菜や加工品、伝統工芸品も人気です(朱宮ら 2016)。

このような町づくりを支えている重要な制度として 1965 年に始まったのが「自治公民館制度」です(原 2003)。具体的には、従来の区長制度を廃止し、町内 22 の旧集落に一つずつ自治公民館を設置しました。ただし、単なるハードとしての箱物づくりではなく、ソフト的な住民全員参加の地域づくりのシステムづくりを試みたことが重要です。それまでの区長制度はトップダウン的で行政の下請的役割が強く、住民の意思を汲み上げ、政策に反映させるなどの機能はあまり見られませんでした。一方、自治公民館制度に変えてからは、町づくりに関わる住民が納得するまで議論できる場を設け、いろんな意見が出てくるよう誘導し、町の意思決定におけるボトムアップの機能を果たすようになったと言われています(原 2003)。地域活性化の草の根組織として大きな役割を果たしており、すでに地域に根付いた制度となっています。主な成果には、綾町の道を四季の花で飾ってくれる人を歓迎する花いっぱい運動などがありますが、有機農業の技術普及や知識伝搬にも大きく貢献したと言われています(桝潟 2004)。

以上のように、綾町では昔からあった自然資源や伝統文化を住民たちが一体となって再評価し、それらを観光や特産品という形で都市部との有機的な結びつきにつなげたことが持続可能な町づくりに大きく貢献しました。

ICTを使った町への貢献の見える化

最近では、町づくりに寄与する活動をICT（情報通信）技術で「見える化」する新たな試み『AYA SCORE（アヤ スコア）』が始まっています。この活動は、綾町が2019年に農林水産省の「農山漁村振興交付金（地域活性化対策）スマート定住条件強化型」モデル地区に選定されたことで始まりました。綾町地域定住推進協議会と電通国際情報サービス（ISID）が進める３か年のモデル事業において、住民をはじめとした綾町に関わる人々がスマートフォン向けアプリを通じ、「まちへの貢献」活動によりスコア（得点）を獲得、蓄積していきます。スコアが取得できる活動は、ふれあい活動、助けあい活動、農業応援活動、地産地消活動の４種類があり、綾町が指定した活動を行っていくことで、スコアを取得することができます。この取り組みにより、楽しみながら、まちや人のためになる行動をとることを促していきます。

取り組みの背景には農村地域の少子・高齢化の進展の一方、都市部の若い世代を中心に高まりを見せる「田園回帰」の流れがあります。「田園回帰」とは、都市部から人の移住・定住の動きが活発化している現象のことを言います。この流れを活かし、段階的に移住・定住を図るとともに、安心して住める仕組みづくりが必要です。AYA SCOREでは、助け合いのスコア化を通じて、人々の協調行動を促すだけでなく、関係人口(13)を増やせないかという中長期的な目標も掲げられています。ISIDの森田浩史さんは「近年都市住民のうち農山漁村への定住を希望する人が急増している。一方、都市部にいては実際にその地域にどのような人々が暮らしているかを知る機会は少ない。綾町は有機農業の町として知られているが、町民の地域活動も活発な地域。そうした実情をスコアとして（アプリ利用者間で）『見える化』することで、移住促進の一助になれば」と話します。

AYA SCOREは、スコアを貯めたとしても、なにか商品と交換できたり、買ったりできるわけではありません。スコアを地域通貨として扱うアイディアもありえますが、その場合いずれ自治体で予算的な手当が必要になり、活動が長く続か

---

(13)「関係人口」とは、移住した「定住人口」でもなく、観光に来た「交流人口」でもない、地域と多様に関わる人々を指す言葉です（総務省 地域力創造グループHP）。地域によっては若者を中心に、変化を生み出す人材が地域に入り始めており、「関係人口」と呼ばれる地域外の人材が地域づくりの担い手となることが期待されています。

ないおそれがあります。また、金銭的報酬に着目すると、それ自体が目的になってしまい、内発的動機づけが失われてしまう懸念もあります。あくまで、住民の利他的行動を促進して住みやすい町づくりに貢献し、同時に都市住民から有機農業の町として知られている綾町が地域活動も活発な地域であると認識してもらうことが重視されています。

図：『AYA SCORE』のコンセプト
出展：電通国際情報サービス

この実証実験では、主観的幸福度 (14) やソーシャル・キャピタル (15) を評価指標とし、AYA SCORE 導入の効果検証を進めています。近年、ソーシャル・キャピタルが地域活性化に果たす役割が注目され、地域の活力の代理指標として有効であることが明らかにされています。2020 年 7 月～ 8 月に、綾町の世帯の約半分をカバーする規模となる住民 2,000 人に対して、綾町、農林水産政策研究所、ISID が郵送によりアンケート調査を行いました。結果、主観的幸福度やソーシャル・キャピタルが全国平均よりもかなり高い水準にあることがわかりました。また、暫定的ではありますが、AYA SCORE 利用者は、非利用者と比較してこれらの水準がより高いという結果が得られています（佐々木ら 2022)。

---

(14)生活の質、豊かさ、充実・満足度に関する人々の主観的評価
(15) 人々の協調行動を活発にすることによって、社会の効率性を高めることのできる、「信頼」「規範」「ネットワーク」といった社会組織の特徴

ただ、コロナウイルスの影響により各種イベントが制限されたためスコアの利用者が一部に限られ、今後は、町内の認知度向上や利用者の拡大が課題です。

都市部には、地域外から「ふるさと」を支える主体（関係人口）となりうる人材が相当数存在しています。総務省（2018）によれば、こうした地域外の人材は、その地域にルーツがある者として「近居の者」と遠隔の市町村に居住する「遠居の者」、また、ルーツがない者として、「何らかの関わりがある者」のほか、ビジネスや余暇活動等をきっかけにその地域と行き来するいわば「風の人」が存在します。地域外の人材と綾町とのかかわりは様々な形がありますので、必ずしも移住・定住のみを目標とするのではなく、地域内外の人材が様々な形で関与し、またネットワークが形成されることにより、継続的に貢献できるような環境を整えることが重要です。AYA SCORE のような ICT を活用した取り組みにより、地域内外の人材の新たな関わり合いのきっかけとなることが期待されます。

執筆協力：綾町農林振興課、株式会社電通国際情報サービス（ISID）の皆様

引用文献

綾町 HP　https://www.town.aya.miyazaki.jp/soshiki/sougouseisakuka/1095.html
国土交通省「事例番号 147 自然とまちを有機的に結ぶまちおこし（宮崎県綾町）」『まち再生事例データベース』 https://www.mlit.go.jp/crd/city/mint/htm_doc/pdf/147aya.pdf
佐々木宏樹, 平原誠也, 松山普一, 森田浩史, 鈴木貴裕（2022）「モバイルアプリを用いた「ソーシャルスコア」導入が農村地域へ及ぼす影響ー宮崎県綾町におけるソーシャルキャピタル及び主観的幸福度を指標とした因果分析ー」『農業経済研究』94（1），印刷中.
朱宮丈晴，小此木宏明，河野耕三，石田達也，相馬美佐子（2013）「照葉樹林生態系を地域とともに守る—宮崎県綾町での取り組みから—」『保全生態学研究』18：225-238.
朱宮丈晴，河野円樹，河野耕三，石田達也，下村ゆかり，相馬美佐子，小此木宏明，道家哲平（2016）「ユネスコエコパーク登録後の宮崎県綾町の動向 —世界が注目するモデル地域—」『日本生態学会誌』66（1）：121-134.
総務省（2018）『これからの移住・交流施策のあり方に関する検討会報告書ー「関係人口」の創出に向けてー』.
総務省　地域力創造グループ「関係人口とは」https://www.soumu.go.jp/kankeijinkou/about/index.html
原真志（2003）「第 5 部 四国の自立と連携に向けて—宮崎県綾町の地域振興の取り組みから

(公開講座 21 世紀に四国を創る新機軸―四国における自立の芽、連携の芽)」香川大学生涯学習教育研究センター研究報告，香川大学生涯学習教育研究センター.
桝潟俊子（2004）「行政主導による「有機農業の町」づくり－宮崎県綾町における循環型地域社会の形成－」『淑徳大学社会学部研究紀要』38：95-124.
内閣府経済社会総合研究所 (2016)「ソーシャル・キャピタルの豊かさを生かした地域活性化」

「永遠の日本のふるさと」をめざして
岩手県遠野市

平形 和世

岩手県東半部を南北に連なる北上高地のほぼ中央、山々に囲まれた盆地を中心に遠野市は広がっています。盆地特有の気候により、昼夜の寒暖差が大きく、夏場は最高気温が 30 度を超える日でも夜になると涼しくなったり、冬場は積雪こそ 20cm 程度ですが、最低気温が零下 10 度以下になったりします。奥山に囲まれ、四季折々の豊かな自然は、ノスタルジックな雰囲気が漂う日本の原風景として多くの人々を魅了しています。歴史をたどると、江戸時代には城下町として、また内陸部と沿岸部を結ぶ宿場町として栄えました。遠野に伝わる民話をまとめた「遠野物語」（柳田國男著）は 1910 年に刊行され、以来多くの人々に読み継がれています。

遠野市としての始まりは 1954 年、昭和の大合併により 1 町 7 村が合併して誕生しました。そして、平成の大合併の中で、2005 年に宮守村と合併し、新「遠野市」が誕生しています。遠野市の人口は、ピーク時には約 3 万 7 千人台でしたが、高度経済成長期が落ち着いた 1960 年代後半から徐々に減少し始め、新市誕生の 2005 年は 32,346 人、そして現在はさらに減少して、25,336 人（2020 年 10 月）となっています。また、高齢化率は 40.5%（同）で、全国平均、岩手県平均を大きく上回っており、人口減少と高齢化は大きな課題です。

冷涼な気候と豊かな自然環境を活かした農林畜産業は基幹産業であり、小規模農家による米を中心に野菜やホップなどの農産物栽培と畜産を組み合わせた複合経営が主ですが、地域特性を活かした生産、地域資源を生かした特産品開発も盛んに行われています。ホップ生産については、1960 年代初め、常に冷害に見舞われ寒冷地に適した畑作を模索したことがきっかけで、ビールメーカーとの契約栽培が始まり、今や日本一を誇る産地となりました。とはいうものの、最盛期に比べ、生産農家、生産量は大きく落ち込んでおり、近年では、ホップ収穫祭やホップ畑の観光などのイベントを開催したり、新規就農を募ったりして、次世代へ引き継ぐための取組が官民挙げて行われています。

20 年後の日本を先取りするような過疎地域ではありますが、「永遠の日本のふるさと遠野」を継承し、地域の特性や資源を活かしつつ、市民が主体性をもって取り組むまちづくりが行われています。遠野市のまちづくりの原点、そしてその具体例として健康づくり活動について紹介します。

遠野スタイルのまちづくりの原点

遠野市のまちづくりは、先人が守り育ててきた自然環境、歴史、文化、伝統の継承に基づく、地域づくり、人づくりからスタートしている（山田ら 2004）と言われます。過疎化が進行し始めた 1968 年、遠野市総合計画基本構想「トオノピアプラン」が策定されました。トオノピアとは、トオノ（遠野）とユートピア（理想郷）からの造語で、「大自然に息吹く永遠の田園都市」が将来像とされました。この中で掲げられた市民センター構想、カントリーパーク構想は、今日までの遠野スタイルのまちづくりの原点であるといっても過言ではありません。市民センター構想は、市民と行政が一体となって、自主的な生涯教育を通じて地域社会を改善していくといった考え方が基本となっています。市民センター、公民館、体育館、プール、図書館、博物館等の各施設が 10 年かけて整備され、複合的に配置された総合施設は、多くの人々が集い、学び、交流する場として大変親しまれています。また、これらと並行して旧村ごとにカントリーパーク（地区センター）が置かれ、同様に、地区センターの周囲に、体育館、運動場、資料館等の施設が整備され、また付近には小中学校、保育園、診療所、郵便局等の公的機関も配置されました。

市民センター・地区センターの最大の特徴は、施設整備ではなく、運営形態や組織にあります。縦割り行政とならないよう市長部局と教育委員会部局から職員が配属され、交通安全、環境保全、地域活動等の市民生活に関わる行政サービスから、社会教育、芸術文化、文化財保護等の社会教育分野に関わる行政サービスまで提供されていました。また、広報広聴は市民と行政のパイプの役目を果たすとの考えから、広報広聴部局は市民センターに設置されました。住民側からの視点で作られた広報誌は、地域だけでなく、全国的にも高く評価されています。

カッパ淵

また、地区センターは、各地区の特性を生かすため各々テーマが設定され、民話や遠野物語とゆかりの深い地区では「伝承館」、南部駒の産地である地区では「牛馬館」、農業近代化が進んだ地区では「農耕館」などと呼ばれました。そして、地区センターは、単に住民が集う場にとどまらず、住民の社会参加を促す組織づくりの機能も果たしました。区長や地区公民館長など地区で活動する団体の代表が集まり、熱い議論が繰り広げられ、それまで結び付きがなかった組織同士の連携や、新たな取組が生まれるきっかけになり、やがて地域づくり連絡協議会が結成され、その動きは全市に広がりました。

約半世紀にわたって、コミュニティを支えてきた地区センターですが、近年は、人口減少社会に対応するため、機能の一層の充実が求められ、自治会、住民との協力・連携体制を強化し、地域課題解決や住民主体の地域づくり活動が期待されています。市内の全 11 地区は「地区まちづくり計画」を策定し、持続可能な地域づくり、まちづくりに取り組んでいます。

健康づくりの推進

遠野市では、市民が健康に関心を持ち、自ら健康づくりに取り組むことができるよう、幅広い年代に応じた健康づくり活動が推進されています。

2007 年に NHK 巡回ラジオ体操みんなの体操会を契機に、市民センター（市民体育館）を遠野市健康づくり総合大学「とすぽ」本校とし、また、地区センターをサテライト校として、市民協働による健康づくり教室や講座が開催されました。

一方、高齢者が専門医不在の状況でも、健康に不安を抱えることなく、安心して暮らしていける医療体制を模索する中、2008 年、情報通信技術（ICT）を活用して医師不足問題を改善させるという国の事業が実施されました。歩数・血圧・体重等を計測し、その健康データを蓄積、そしてその健康データを基にテレビ電話等を用いて都市部に在住する専門医と地域の医療従事者が疾病予防の保健指導を行う「ICT 健康塾」という取組です。当初は市内の２町のみでのモデル実験でしたが、体重減少や高血圧症候群の改善など一定の効果が検証されたことから市内全域に拡大、2011 年以降は、参加者から毎月会費を集めて市の事業として実施されるようになりました。毎週開催される計測会は住民の憩いの場ともなり、地域コミュニティでの健康づくりが広がりました。また、2016年からは、運動・健康に無関心な人も含めた疾病予防や健康づくりが進められ、「ICT健康塾」では計測会と運動教室が行われるようになりました。そして行動変容を促すため「健幸ポイント事業」が開始されました。これは「ICT健康塾」の参加者を対象として、運動教室への参加や歩数の増加、健診受診など健康づくりにつながる行動に対して、また、健診結果や体組成の改善などに応じて、市内の店舗で買い物に使える健幸ポイントがもらえる仕組で、地域の活性化につながっています。健幸ポイント導入後は、参加者もさらに増加し、参加者に行ったアンケートでは「車の利用を控えるようになった」「健康づくりへの関心が高まった」などの声があるほか、医療費や介護給付費の抑制効果も明らかになっているとのことです。

コミュニティの熱心な活動に、地域内外の官民人材や組織との連携、そしてICTといった新しい手法が加わることで進展していく様子が窺え、遠野市が支えてきた分散型の市民コミュニティが、地域づくりの創意工夫の土壌となっていることが示唆されます。

執筆協力：遠野市産業部、健康福祉部の皆様

引用文献

総務省統計局（2021）「令和２年国勢調査の結果」
遠野市 HP, https://www.city.tono.iwate.jp/index.cfm/1,html
遠野市（2013）「広報遠野（2013-09）」
遠野市（2020）「新編　遠野市史　現代編」
遠野市（2021）「遠野市過疎地域持続的発展計画」
山田晴義、遠野市政策研究会（2004）「遠野スタイル　自然と共に循環・再生し続ける永遠のふるさと」ぎょうせい

「つながるミーティング」京都府京丹後市丹後町宇川地区

國井 大輔・田中 淳志

少子高齢化・過疎化から脱却し、豊かな自然環境や伝統・文化を次世代の子どもたちに継承していくため、地域住民が主体となって持続可能な地域づくりを行っている事例として、京丹後市丹後町宇川地区の取り組みを紹介します。

地域らしさと課題

丹後町宇川地区は、丹後半島の最北端に位置し、宇川流域に広がる旧上宇川村と日本海に面した旧下宇川村に大別される合計 14 の集落で構成されています。現在の人口は約 1,175 人（令和 2 年）です。清流や棚田、里山・里海等、日本の原風景が残る里川海の資源に恵まれた地域で、新鮮な魚介類、果物などの魅力的な食に溢れています。また 4 つの海水浴場及びキャンプ場、宇川温泉、風光明媚な海岸線、経ヶ岬灯台には通年で多くの観光客が訪れ、近年ではサーフィンやロードバイクなども人気です。天然アユが遡上する清流の宇川は地域のシンボルであり、下宇川には棚田から日本海が一望でき日本の棚田百選にも選ばれた袖志の棚田があります。豊かな自然環境や伝統・文化が宇川地区の地域らしさを形成しています。

その一方で、同地区は市内で最も過疎化・高齢化に悩まされている地域の一つでもあります。10 年前と比べて人口は 2 割近く減少し、農業従事者の高齢化及び担い手不足に伴う耕作放棄地の増加や、猿などの野生動物に農作物を食い荒らされる被害も増えています。また、民宿等の事業者の廃業が相次ぐ中で、2008 年には地元タクシー会社の廃業、さらに 2019 年には生鮮食品を取り扱う唯一のスーパーが閉店しました。これらは、結婚等を契機に同じ市内でも利便性の高い他地域に住居を構える世帯が増えたこと、また地域住民でも若い世代を中心に地域外で買い物をし、地域内でのお金の循環が成立しなかったことが原因とされています。

そこで、直近の課題である、同居する子供がいなかったり自分で車を運転できなかったりする理由で高齢者等が自分だけで買い物に行くことが難しくなっている問題への対策に加えて、中長期的には地域産業を支える子育て世代の地域への定住促進が不可欠となっています。

地元主導な活動とイノベーション

このような諸課題に対して、宇川地区では地域住民が主体となって地元主導的に解決策を模索してきたことが大きな特徴と言えます。例えば、2008 年にタクシー会社が廃業した際には、地域住民で構成される丹後町地域まちづくり協議会が京丹後市長に提言し、NPO 法人「気張る！ふるさと丹後町」が設立されました。この NPO は、まず路線バスが通過しない集落において、前日に予約することで運行するデマンドバスを始めました。さらに現在では、スマートフォンで Uber 社の配車アプリを活用し、必要な研修を受けた地域住民が自家用車を使って送迎サービスを行う「ささえ合い交通」も実施しています。同サービスは、Uber 社（Uber Technologies：米国カリフォルニア州）と連携し交通の課題を ICT を活用し解決するもので、民間路線バスのバス停までの運行やデマンドバスの非運行日に利用されるなど、需要と供給の隙間を埋める形で機能しています。また、地域住民だけでなく、京丹後市外からの観光客向けのドライバーとしての役割も担っており、観光振興にも貢献しています。

このほか、観光客の訪問と地域特産品の販売・消費とが結びついていなかったことに目をつけた地域のおばちゃんたち 11 名が「地元食材で地域を元気に」を合言葉に商品開発や販売に取り組む「宇川加工所」を 2013 年に結成しました。加工所の方の話によると、地域特産の棚田米の「はったい粉」を使ったクッキーや休耕田で栽培したエゴマを使ったキムチを作り休日に開催される直売所で販売したり，春と秋には加工所でランチバイキングを開催し、地元の方々を中心に大変盛況なイベントになっているそうです。現在では、加工所で作られた製品は京丹後市内の道の駅や宇川温泉の土産物コーナー、さらにはふるさと納税の返礼品などとして、様々な手段で販売されています。

また、閉鎖された宇川保育園内の厨房を宇川加工所の活動拠点にしたことをきっかけに、当建物はコミュニティ活動の拠点とする「宇川アクティブライフハウス」として生まれ変わりました。本施設では、喫茶や子供自習室の利用に加え、囲碁サロン、ピンポン倶楽部、宇川サロン（地域の催し）などが行われ、現在では年間 4,000 人を超える利用があります。

スーパーが閉鎖された後には、毎週金曜日に宇川アクティブライフハウスで「金曜市」が開催され始めました。現在では、宇川加工所の他に農家や海産物加工グループなど 25 以上の個人やグループが出品し、イカやサバなどの干物や旬の野菜、総菜、弁当など 70 種類以上が販売され、高齢者など地域住民が集い交流するコミュニケーションの場としての機能も果たしています。

連携と多様な視点を組み合わせる

上記のように、特定の課題解決に向けた一つ一つの取り組みが地域内外の多様な主体間の連携を生み出し、それが大きな主流となって子育て世代の定住促進を目指す「持続可能な地域づくり活動」につながりつつあります。具体的には、2018 年に「宇川地域づくり準備室」が設立され、若い世代の定住促進につながる「農村コミュニティ推進組織」の検討が行われています。本準備室は構成員を限定せずに、必要に応じて様々な人々と連携しており、現在は 14 集落の区長で構成される宇川連合区長会に加えて地区公民館、上記の「気張る！ふるさと丹後町」や「宇川加工所」のような地元の団体や社会福祉協議会、さらに地域外の NPO や一般社団法人、企業、大学も参加しています。

地域づくり活動においては、地域外の組織の参加を積極的に受け入れていることも宇川地区の特徴です。例えば、龍谷大学政策学部の今里佳奈子教授のゼミは2015年冬から2021年現在まで、「持続可能な地域のあり方について、自治・協働の観点から考える」をテーマに宇川で活動を行ってきました。例年2、3回生を中心に月1回の現地合宿を行い、無農薬米栽培や様々な地域活動への参加、YouTube「京丹GO!」の作成やSNSを用いた情報発信、アンケートや聞き取り調査に基づく政策提案等を行っています。この結果、2020年10月現在、現役ゼミ生約40人及び卒業生約50人が宇川への特別な思いをもつ「関係人口」となっており、若手人材のネットワーク化や若者視点からの新しいプロジェクト創出につながっています。

また、2019年に農林水産省の農山漁村振興交付金（地域活性化対策）スマート定住条件強化型モデル地区に選定されたことをきっかけに、翌年には地域住民、団体、企業、行政を巻き込んだ「つながるミーティング」が立ち上りました。つながるミーティングでは、地域の課題抽出とICTを活用した解決策を検討することを主目的としますが、従来の区長や組織の代表者レベルでの議論から、中学生からお年寄りまで幅広い年代の意欲ある住民が誰でも参加できる議論の場を設けたことが特徴です。新型コロナウィルス感染予防のため一堂に会する集まりの実施は困難ですが、逆にZoom等のインターネット会議等を駆使しながら特に将来を担う若い世代の住民が中心となって議論できる場の機能を果たしていることが重要です。

スマート定住条件強化型モデル地区としての活動は2022年3月まで続きますが、つながるミーティングでの議論が宇川地区の未来へとどのようにつながるのか。今後が期待されます。

執筆協力：宇川スマート定住促進協議会の皆様

「やまがた自然エネルギーネットワーク」

三浦 秀一

山の価値を取り戻す

私はこれまで、山形にある東北芸術工科大学で、東北やオーストリアの住宅と地域の省エネ、自然エネルギーに関する研究と教育を担ってきました。私自身の生活でも、断熱性の高い家に住み、薪を使って暖をとっています。

東日本大震災の原発事故を契機に、世界中の人たちが自然エネルギーへの期待を膨らませました。日本の各地では、自然エネルギーに関する学習会が開催されました。山形県内では、自然エネルギーの学習会に参加していた人たちが集まり、やまがた自然エネルギーネットワークができあがりました。

学習会では、私も講師として、風力、太陽光、バイオマスなど、自然エネルギーに多様な種類があることをお話ししました。「オーストリアでは、山の木から得たエネルギーを売っている」と学習会で話すと、参加者は驚いていました。何の価値もないと思っていた山に価値が付くことに、興味を持ってくれたのです。太陽光パネルを並べたり、風車を置いたりするよりも、間伐材の利用は、参加者のみんなにとって、はるかに身近なテーマのようでした。

山形では、市町村合併前の旧村の単位で、今でも共有林を維持しています。誰のものでもない、みんなの山の木です。昔は、薪を集めたり、炭焼きをしたりしていました。しかし、伝統的な山の生活は、電気の普及により消えてしまいました。学習会の参加者には、昔の暮らしの記憶が残っていたので、共有財産である山を再び利用し、地域の未来のために使うお金を得るというシナリオに、夢を感じたのだと思います。私人身も、自然エネルギーについて関わるなかで、山の暮らしへの関心を、日々、高めていきました。

山の木をエネルギーに

山の木をバイオマスエネルギーとして使うために、私たちはさまざまな協議の場を設けて、地域の人たちと一緒に考えました。山から木を切り出す実験も繰り返しました。地域の人たちは軽トラックを持っているので、立派な山道はなくても、木を運び出すことはできました。しかし、木材の売り先がないことは問題でした。軽トラックで運び出した少量の木材を買ってくれる人は、なかなか現れなかったのです。

そこで、地域の中で木材を集めて、製材所に売りに行ったり、市場に売りに行ったりする、「木の駅プロジェクト」を始めました。地域通貨による取引も検討しましたが、取組の継続は容易ではありませんでした。「木の駅プロジェクト」の参加者は年配の方々が多かったので、木を運び出す作業も重労働で、取組は次第に先細りしていきました。もし、若い人たちが取り組めば、体力的には楽かもしれません。しかし、労働の対価が十分でないので、生計は立てられません。ある程度の対価があり、参加者の負担が少なく、楽しく続けられるなど、取組の継続には、いくつかポイントがあるだろうと思います。

欧州の市民風車

やまがた自然エネルギーネットワークのメンバーは、学習会を重ねるうちに、実際に取り組みたいと話すようになりました。ドイツやデンマークでは、地域の人たち、特に農家で土地を持っている人たちが集まって資金を出し合い、風車を立てています。とてもいいアイデアですね。ドイツでは、近年、風車が普及してきたので、近隣の風車の状況を見て、調査しなくても、地形的に適地が判断できるようになったそうです。しかし、まだ、日本はそのような状況にはありません。

風車の適地は、しっかりと風が吹き、かつ、電線につなげられる場所です。やまがた自然エネルギーネットワークでは、風車の適地を探すことにしました。しかし、風を測定する機械の設置にもお金がかかります。そのようなことを話していた折に、山形の生活協同組合が、自然エネルギーの地産地消にむけて地元に発電所が欲しいので、風車の調査を一緒にやりましょうと言ってくれました。

さっそく、風が強いと言われる、庄内の海沿いで調査してみたのですが、発電に必要な風は吹いていませんでした。また、発電した電気を流す送電線の容量に余裕がないという問題もあり、実現までは至りませんでした。市民風車をつくるには、本来であればこうしたチャレンジをし続けることが必要ですが、民間企業と違って市民や住民が中心になって発電所をつくるには時間もかかりますし、資金調達も容易ではありません。民間企業と同じ条件で開発を進めなければならない日本では、欧州のように市民風車が普及していかなかったのです。

自然エネルギーをつくり、地元の農産物を食べる

やまがた自然エネルギーネットワークは、山形県民が参加する自然エネルギーの発電所づくりを応援しています。近年では、風車やソーラーパネルの設置と、地域の環境や文化の保存は、両立が難しいと考える人たちも増えてきています。自然エネルギーの発電所づくりでは、地域の人たちが時間をかけて協議して、熟慮することが何よりも大切です。

2016年度に、山形県は「県民参加型再生可能エネルギー事業」として、自然エネルギーの発電所の登録を始めました。ソーラーワールド株式会社の「さくらんぼ市民共同発電所」、やまがた県民自然エネルギー株式会社の「川西太陽光発電所」、もがみ自然エネルギー株式会社の「飛田太陽光発電所」、長瀬農園の「東根ソーラーシェアリング発電所」、くろうえもん農場の「だだちゃ豆ソーラー発電所」、農事組合法人ドメーヌ楽酒楽粋の「雪蔵の雪氷熱を活用した地酒熟成の取り組み」が登録されました。

「さくらんぼ市民共同発電所」は、県民が出しあった資金をもとに発電設備をつくり、そこから生まれる利益を配当や返礼等として還元する事業です。出資者への返礼品は、地元の農産物です。例えば、5万円を出資すると、5年間にわたり、毎年1万円分のお米と野菜、だだちゃ豆などが返礼品としてもらえます。自然エネルギーに出資して、地域の人たちが育てた野菜をもらうのは、いいアイデアです。みんなにハッピーなプロジェクトですね。

新たな発電所づくりに参画してくれる土地を持つ農家さんや、新たに出資してくれる県民のみなさんの参加、取組のさらなる展開が今後の課題です。

自然エネルギーの地産地消

日本でも増え始めた太陽光や風力発電エネルギーの電気は、電力会社が買い取っています。先ほどご紹介した、「県民参加型再生可能エネルギー事業」の発電所もそうです。それでは、自然エネルギーの地産地消は、どうしたら実現するのでしょうか。その方法は、地元の自然エネルギーの電気を積極的に買い取っている新しい電力会社から、消費者が電気を買うことです。環境や地産地消に配慮して食べ物を選ぶのと同じように、どのような電気を買うのか選べるのです。近年では、自然エネルギーの発電所が普及してきたので、今、大切なことは、自然エネルギーを使う人や施設を広めていくことです。

やまがた自然エネルギーネットワークは、電力会社の情報を比較したうえで、自然エネルギーの電気をしっかりと供給している５つの電力会社を選んで、県民に推薦しています。地元に根付いている電力会社としては、コープ生協の「コープ電気東北（ソフト電気）」、生活協同組合の「生活クラブエナジー」、ミツウロコヴェッセルの「ミツウロコでんき」、山形県と県内民間企業 18 社が出資してつくった「やまがた新電力」、全国規模では「みんな電力」を推薦しています。

自然エネルギーをつくる人と使う人の交流

自然エネルギーの地産地消は理想的ですが、都会の人にも、自然エネルギーの電力を使ってもらいたいと思っています。電気の産地が分るように工夫して、都会の人たちに自然エネルギーを届ける必要も感じています。

「みんな電力」は、発電所に関する情報発信やイベントの開催に取り組んでいます。自然エネルギーの電気を都会の人たちに買ってもらい、発電所がある地域の農産物も食べてもらうというように、電気をつくる人たちと、使う人たちの交流ができたら、きっと楽しいですね。

ネットワークのネットワーク

やまがた自然エネルギーネットワークは、学習会を積み重ね、地域の発電所づくりを応援し、現在は、地元や都会の電力会社と連携するまでに、歩みを進めてきました。市民が出資して、市民共同発電所をつくるのが理想的ですが、その一方で、地元の企業が自然エネルギーの開発や普及に取り組むことも大切と思っています。地域の発電所が、地元の企業や都会の企業と連携して、自然エネルギーをつくり、使う取組が、広がっています。自治体も、自然エネルギーの普及のために補助金を用意してくれたり、普及啓発をしてくれたりしています。

やまがた自然エネルギーネットワークでは、さまざまな人たちや組織が連携するうえで、私がコーディネートする場面が多くあります。しかし、山形県も広いですし、地域により異なる文化や考え方があります。また、どこの地域にも、やる気があって、中心となる人物がいます。各地域では、こうしたキーマンが中心となって、地域の人たちが集まり、自然エネルギーの普及に取り組んでいます。山形県内の各地域のネットワークが、やまがた自然エネルギーネットワークとしてつながり、さらに県外のネットワークにもつながっているのです。

最近では、世界中で、若い人たちが持続可能性や自然エネルギーに熱心に取り組んでいます。やまがた自然エネルギーネットワークにも、若い人たちが、もっと参加してくれると嬉しいですね。

○ 参考「やまがた自然エネルギーネットワーク」 https://yamaene.net

文責：飯田恭子

「エネルギーまちづくり」

竹内 昌義

狭く、強くから、広く、響くに

これまで建築家として、狭く、強く、一つの空間に集中して、デザイン的に優れた建築をつくりあげてきました。施主がいて、オーダーがあって、建築づくりのプロセスは始まります。一方､私が並行して手がける「エネルギーまちづくり」は、地域の人々に広く開かれています。住民、行政、工務店や建築家が、お互いに自らの意見を変化させながら歩み寄り、すてきな未来をイメージしながら心を響かせ、共に学びあって、家とまちをつくりあげます。

エコハウスの設計

エコハウスの設計を私が始めたきっかけは、三浦秀一先生と訪れたオーストリアのフォアアルルベルク（Vorarlberg）での経験にあります。三浦先生は、東北芸術工科大学で一緒に教えている教員仲間です。現地では､建築家のヘルマン・カウフマンさんが設計した木造の近代建築を見学しました。カウフマンさんは、最新の技術を駆使して、これまでになかった、新しい木造建築をデザインしています。

カウフマンさんは、林業や製材業といった地域の産業を活用して、建築産業として木造の近代建築を手がけています。伝統的な手仕事による、在来工法の木造建築ではありません。地域には、若い建築家や大工、家具職人が大勢いて、あんなデザインはどうか、こんなデザインはどうかと、自由な発想で働いています。日本の山村とは雰囲気が違っていて、若い人たちがワクワクしています。

現地で自由行動の際に、地域を一人で歩きまわってみると、たくさんの木造の近代建築があって驚きました。地域の山の木を使って、エネルギーもつくっていました。

おもしろい！日本に伝えてみたい！と思いました。

日本では、秋田の能代で、建築家の西方里見さんが、環境に負荷が少なく、高断熱・高気密な住宅を設計しています。西方さんは、エネルギーのかからない家のつくり方を私に教えてくれました。また、建築家の森みわさんが、ドイツ発祥の高気密高断熱住宅「パッシブハウス」について教えてくれました。先駆者のアドバイスを受けながら、私も、省エネルギーな「エコハウス」の設計や施工を手がけるようになりました。

2009 年には、カウフマンさんをオーストリアから日本に招いて、東北芸術工科大学と東京工業大学の学生たちと交流してもらいました。カウフマンさんは日本で民家を見学した際に、熱心に寸法を測り、とても喜んでくれました。日本の木造建築が、大好きなのだと思いました。

エコハウスから、エネルギーまちづくりへ

私の中にあった問題意識が急激に高まったのは、東日本大震災での原発事故です。市民が自発的に、持続可能な暮らしの実現にむけて動き出すと思いました。しかし、その動きは、世の中の大きなうねりにはならず、つらい気持ちを抱えて過ごしていました。

エコハウスをつくることが、持続可能な社会の構築に貢献すると、確信したのがその頃です。しかし、一人の建築家として、施主がオーダーした家をエコハウスとして設計するだけでは、その影響力は限られています。エコハウスの知識を、もっと早く、もっと多くの人々に知ってもらいたい。それが、持続可能な社会への近道になると考えました。

E + M

建築家やランドスケープ・アーキテクトの仲間たちも、震災後に私と同じ問題意識を抱えて、日本の各地で講演やセミナーをしていました。こうした各地の仲間がつながって、2018 年に設立したのが「E + M　エネルギーまちづくり社」です。E と M は、ENERGY（エネルギー）と MACHIZUKURI（まちづくり）の頭文字です。

日本の社会が脱炭素社会に向かって加速するには、住宅から排出されるCO_2を削減しなくてはなりません。私たちの目指す将来像は、「エネルギーを使わない豊かな暮らし。資本が流出せずに循環することで、自立する地域社会」です。その実現にむけて、私たちが社会に対して果たしたい役割は、「エネルギーの使い方を考え、新しい健康な暮らし方を提案すること。エネルギーの観点から、建物の資産価値を向上させること。エネルギーを起点に、地域循環型経済のしくみをつくること」です。

エネルギーまちづくり社は、エネルギーがかからない、快適で健康な住宅を、全国に作ることを目標の一つとしています。エコハウスの設計や、地域循環型のエコタウンの計画など、持続可能なエネルギーと暮らしをデザインしています。
自治体と一緒に取り組む「エネルギーまちづくり」では、低燃費なエコハウスを軸に、地域の再生可能エネルギーの活用、地域の森林資源の建物への循環供給のしくみづくりなど、人、もの、お金が地域内で循環するエコタウンづくりをお手伝いしています。

例えば、「山形エコタウン前明石」では、地元の荒正さんという株式会社と協力して、アウトドアブランドのスノーピークも参画して、外部空間の豊かな、外遊びのある暮らしができる、エコハウスと住宅団地を設計しました。

○ 参考「山形エコタウン前明石」 https://y-ecotown.jp/

エネルギーまちづくり社は、エコハウスとエネルギーまちづくりを広める取組もしています。未来を考える設計者や施工者など、建築実務者のためには「エネまちの家　設計塾」を開講し、高性能なエコハウスづくりのノウハウを伝えています。住宅の省エネルギー計画、専門的なソフトウェアを使用した建物の燃費の計算方法、エコハウスの設計・施工のポイントについて教えています。

また、「エネルギーまちづくり塾」では、一般の方から経験のないプロの方までを対象に、戸建て住宅・共同住宅・公共建築の省エネルギーについて、また、ゼロエネルギー住宅地とゼロエネルギー地域について、わかりやすく教えています。

ワークショップに重点を置いた、「エコリノベーションスクール」では、北海道から鹿児島まで全国から建築の専門家が集まり、断熱改修について学びます。ワークショップの参加後には、みなさんの断熱についての理解がとても深まり、その重要性を認識する共感力も高まって、体験は大切だと感じています。

一緒にエネルギーまちづくり社を設立した仲間は、建築家やランドスケープ・アーキテクトです。みんな、大学教員や自身が運営するNPOの代表としても働いています。多忙な日々を送るなかで、責任を持って取組を継続するには、常勤のスタッフに居てもらい、取組をマネージメントしてもらうことが欠かせないと考え、株式会社を設立しました。一方、私たちの取組には、協同組合という組織形態があうようにも思います。日本では、出資法により協同組合の設立が難しいので、最近は、既存の協同組合との連携も検討しています。

・・・・・

EUでは、人々が協議しながら農村振興に取り組んでいるそうですね。エネルギーまちづくり社では、LEADERメソッドの7つ道具をどのように使っているか、考えてみましょう。

第１の道具　地域らしさ

日本の各地で、大工さんや工務店の方々、住民、行政職員が話し合いながら、地域の気候、人、資源など、地域らしさを活かしたまちづくりができるように、エネルギーまちづくり社は、話し合いに加わり、計画しています。

例えば、岩手県紫波町では、盛岡に近い JR 紫波中央駅前において、公民連携事業であるオガールプロジェクトの一環として「オガールタウン」をつくりました。紫波町では冬が長いので、断熱材を厚くするように工夫し、太陽電池などの機械に頼らなくても、できるだけエネルギーのかからない家づくりをしました。冬暖かく風通しもいい、そんな心地いい家です。断熱性能とコストパフォーマンスのバランスに配慮した紫波型エコハウス基準を設け、循環型のまちづくりを進める紫波町らしく地元の木材を使って、地元の大工さんや工務店がエコハウスを建てました。

地域内で人や資源を小さく循環させることを、私は大切に考えています。実際に、紫波町の食料自給率は 170%、オガールタウンにあるエコハウスの構造材における町産材の利用率は 80%以上です。オガールタウンにほど近いオガール広場では、ファーマーズマーケット等の暮らしを彩るイベントも開催されています。

○ 参考　「オガールタウン」 http://town.ogal.jp
https://ogal.info

第２の道具　ボトムアップ

エコハウスやエコタウンを実現したいという相談は、全国から寄せられます。これまでに私が関わってきた地域では、行政職員と工務店の方々が私たちを出迎えてくれます。何度も地域に通いながら、話し合いを積み重ねるなかで、どのようなまちづくりをしたいか、アイデアを形づくっていきます。南房総、小倉、紫波町などでは、2015 年から断熱に関するワークショップを行っています。

例えば、長野県でも、2020 年からワークショップをしています。長野県は環境対策に熱心です。以前、神奈川県横浜市の地球温暖化対策室で働いていた方が長野県の知事をしていて、草の根レベルでも気候変動への取組を促しています。

最近では、市民が参加できる、エネルギーまちづくり塾を開催しました。2050脱炭素社会実現に向けて、CO_2削減のための取組について学びました。座学のほかにも、地元の白馬高校で、高校生が中心となって実際に教室を断熱改修するワークショップをしました。

ワークショップが終わる頃、参加者はみんな、力仕事でくたくたに疲れていたのですが、「すごい熱狂だったね」と話していました。朝から晩まで重労働して、学校の教室を改修したのに、みんなが喜んでいるのです。体感したら、やっぱり人間の気持ちは変わるんだと思いました。正しい知識を伝えるだけでは、共感したり、気持ちを変えたりは、できないのかもしれないですね。

第3の道具　住民・公益・民間・行政の連携

日本では、ヨーロッパのように住民・公益・民間・行政が連携して進める協議型のまちづくりは、普及していないと思います。日本の地域は、そこまで自律的ではなく、公民連携をもっと広げていかなくてはと、私も取り組んでいます。これからの日本の未来は、民間と公共が連携して、創っていくのではないかなと思います。

エネルギーまちづくり社とは別途、公民連携事業機構が開催している「都市経営プロフェッショナルスクール」で、公民連携の実践のノウハウについて講義しています。カーボンニュートラル専門課程というカリキュラムを担当しています。環境政策を担う地方公共団体の首長や職員、エコタウンのまちづくりをしたい住民、工務店、建築家がスクールに参加しています。コロナのことがあり、今はオンライン開催ですが、通常では、住民、公益、民間、行政の人々が、連携してまちづくりに取り組む方法について、交流しながら学んでいます。

第４の道具　イノベーション

日本のエネルギーの３分の１は、建築が使っています。断熱がおろそかにされていることは大きな問題です。日本では、暖房が効かない寒い家で、震えながら暮らすのが当たり前です。家の中に寒暖の差があることで起こるヒートショックでは、多くの人々が命を落としています。

エコハウスのイノベーションは、断熱です。断熱して、暖かい家をつくるには、さまざまな技術が必要です。例えば、エアコンを１台しか設置しなくても、暖かい家はつくれます。ノウハウを確立させて、広く伝えていくことは、とても大切です。

断熱というイノベーションに、地域の林業と木材産業が結びついたとき、暮らしと産業が循環する仕組が生まれます。これもイノベーションです。自分たちが独立して、地域として自活していくために、必要なイノベーションです。エコハウスのイノベーションが進んでいるのは、鳥取県や岩手県など、はじっこにある地域です。人口が減少していく中で､地域の産業がなくなることに危機感があり、みなさん、本気で取り組んでいます。

きっと、家を建てる人は、地域の林業を活用するよりも、安く家を建てることを優先したいでしょう。その気持ちはよく分かります。一方、エコハウスの普及活動をしていて、人々が「新しい価値」に敏感で、ものすごく魅了されることにも気づきました。新しい技術、新しい住まいのあり方、新しい暮らし方です。イノベーションでは、知識や合理性ではなく、わくわくする気持ちが、人々の行動を変える原動力になるのです。

ガス代や電気代などの光熱費をどのくらい使っていますか、と北国の人たちに質問すると、自慢話大会が始まります。うちでは 30 万円分使っているとか、うちは 40 万円もかかっているとか､多くかかっている方がすごいのです。そして、エネルギーを使わない暮らしについて私が提案すると、みなさん、江戸時代みたいな暮らしはごめんだと言います。しかし、山形にいる三浦秀一先生は、暖かくてすてきなエコハウスに住んでいて、光熱費はほとんどかからないんですよって話すと、みんなは「ずるい」って、口を揃えて言うのです。

そこで、2050年のカーボンニュートラルの生活について、みんなで想像してみます。家は暖かいし、車は電気で走るし、しかも太陽光の電気で走るから、燃費も気にしなくていいし、電気代もかからない。地球にも、自然環境にも負荷が少なく、自分たちも快適になれる。なんだか、わくわくしてくるでしょう。

第5の道具　多様な視点を組み合わせる

日本では、決められたことを足並みそろえて行うのが美徳で、協議する社会の土壌がないように思います。協議しながら農村振興を進めるには、若者や女性がのびのびと意見を言えて、尊重される気運が地域に必要だと思います。

協議する場合には、顔の見える範囲でまとまっていることが大切ですね。人口が多ければ、すばらしいことができるのではありません。何万人かの人口がある地域では、人々が話し合いをすると、意見がまとまりやすくて、円滑に取り組めます。顔が見えないと、いくつかのグループがいて、それぞれが全く異なる考え方や動きをするので、地域としての方向性が定まらないように思います。

第6の道具　地域間のネットワーク

先ほど紹介した「都市経営プロフェッショナルスクール」では、卒業生の人たちにティーチングアシスタントとして教えてもらっています。全国で活躍している卒業生と在校生が、交流するきっかけをつくっています。行政の首長や職員、住民、工務店、建築家といった卒業生は、全国で地域の垣根を超えて、横のネットワークを構築しています。

横のネットワークでは、お互いに気楽に教えあったり、食事や飲み会で交流したりしています。エコハウスやまちづくりのノウハウを教え合うだけではなく、悩みを相談できるのが、このネットワークの良いところです。実際に取り組んでいる人々から現場の知恵をもらえるのは、本当に貴重なことです。

第７の道具　他の地域との連携

「都市経営プロフェッショナルスクール」の卒業生は、横のネットワークを組織化して NPO 法人を設立しました。今後、この NPO がどのように発展していくか見守っています。仲間を増やしていくのは、なかなか難しいことです。しかし、共通の知識を持ち、同じ言語が話せる人々を増やしていくと、ネットワークは広がっていくと思います。

まちづくりは、有機的なもの、熟成していくものと思います。みんなが一緒にものづくりをして、学んでいく際には、腑に落ちるといった体感や、それを通じた仲間との共感が欠かせませんね。

・・・・・

日本では、2021 年 6 月に地球温暖化対策推進法が改正されて、地方公共団体が実行計画をつくることになりました。自治体の職員さんたちが中心となって、日本各地で計画がつくられていきます。公共と民間をはじめ、地域にいるさまざまな人々が協議して、連携して、持続可能な日本の未来を創っていきたいですね。

執筆協力：株式会社荒正、紫波町企画課、オガール企画合同会社の皆様

文責：飯田恭子

4 集まって話しあう

「集まって話しあう」の基本

「集まって話しあう」うえで、その基本的な方法を理解しておくと、地域づくりを効果的に進めることができます。ここでは、ドイツの LEADER 地域においてローカル・アクション・グループ（LAG）が実際に行っている方法と考え方について紹介します。

（1）話しあう項目を少なめにして、楽しく話しあう

「集まって話しあう」時には、毎回の集まりの開始時に、なぜ話しあうのか、なにを決めるのかを、参加者にはっきりと伝えます。1 回の集まりでは、話しあう項目を1つか2つにします。たくさんの項目について話しあうと、時間に追われて焦ってしまうからです。焦っていては、参加者が充分に考えられず、お互いの意見に共感するのも難しくなります。

「集まって話しあう」うえで大事なことは、参加者がお互いの意見を聞き、自らの考え方を確かめ、他人の考え方に共感することです。集まりに参加する人たちが、楽しく話しあいできるように準備を進めます。

（2）持ち物

持ち物は、この本、集まり道具箱、おやつと飲み物、名札にする白いシール、出席簿、カメラです。また、次回の集まりのチラシも準備しておき、集まりの終了時には、次回の日程と話しあう内容についてお知らせします。

（3）司会と進行

集まりの事前に、誰かに司会者をお願いします。もし、リージョナル・マネージャーが協議会にいたら、司会と進行をお願いします。

20 人以上の参加者が集まる際には、小グループをつくって話しあいます。その場合には、各小グループの中から代表者を決めて、司会と進行をお願いします。

(4) 会場のレイアウト

第１回から第 10 回までの「集まって話しあう」では、毎回、参加者と会場のレイアウトが異なります。この本の「次第書」を参考にしながら、会場を準備します。

座り方

① 特定の取組をする人たちの集まり、代表理事会など、10 人前後の参加者が集まる際には、テーブルをつなげて、全員がテーブルを囲みます。

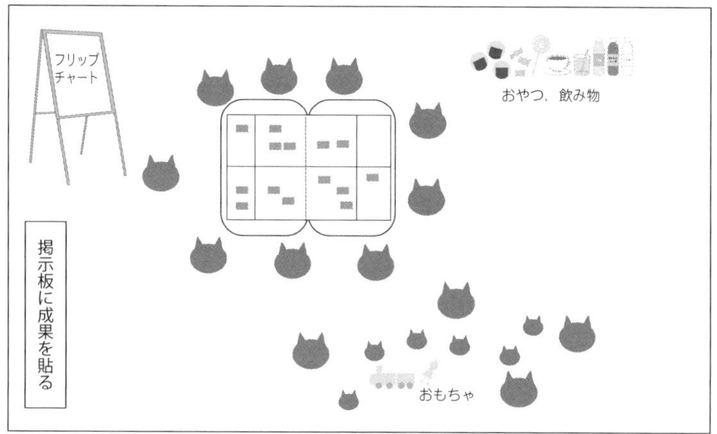

② 小グループで話しあう場合は、会場にいくつも島をつくるようにテーブルを置きます。5、6 人ずつでテーブルを囲むと、みんなが発言しやすくなります。さまざまな意見が聞けるように、なるべく初対面の人たちが一緒に座ります。

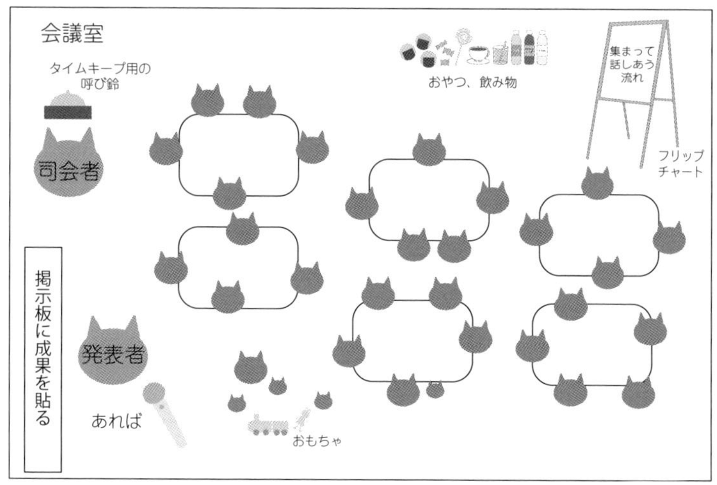

話しあいで使おう！：ねこの型

A4 サイズの厚手の色紙に
コピーして切り取りましょう。

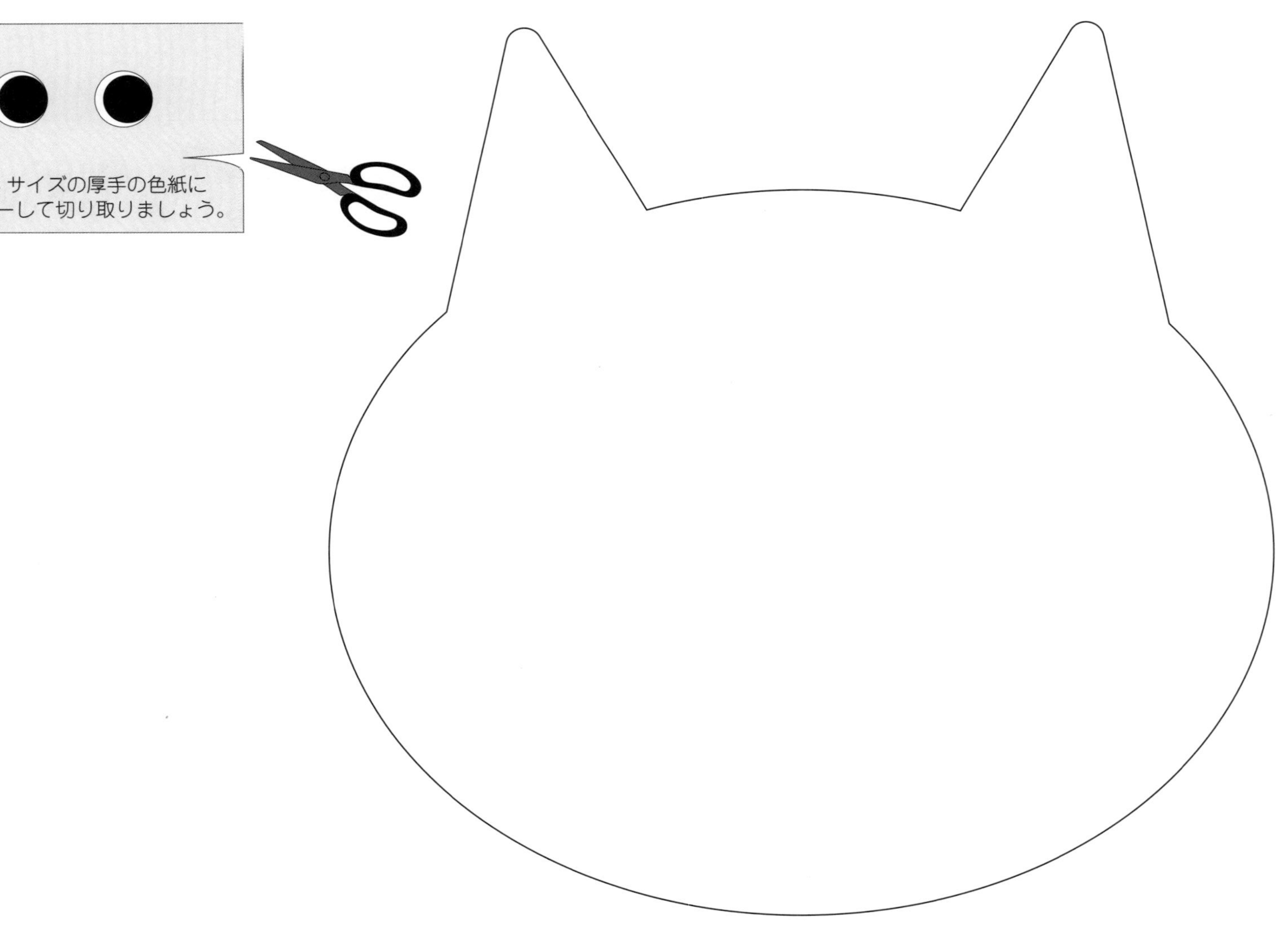

話しあいで使おう！：りんごの型

A4 サイズの厚手の色紙に
コピーして切り取りましょう。

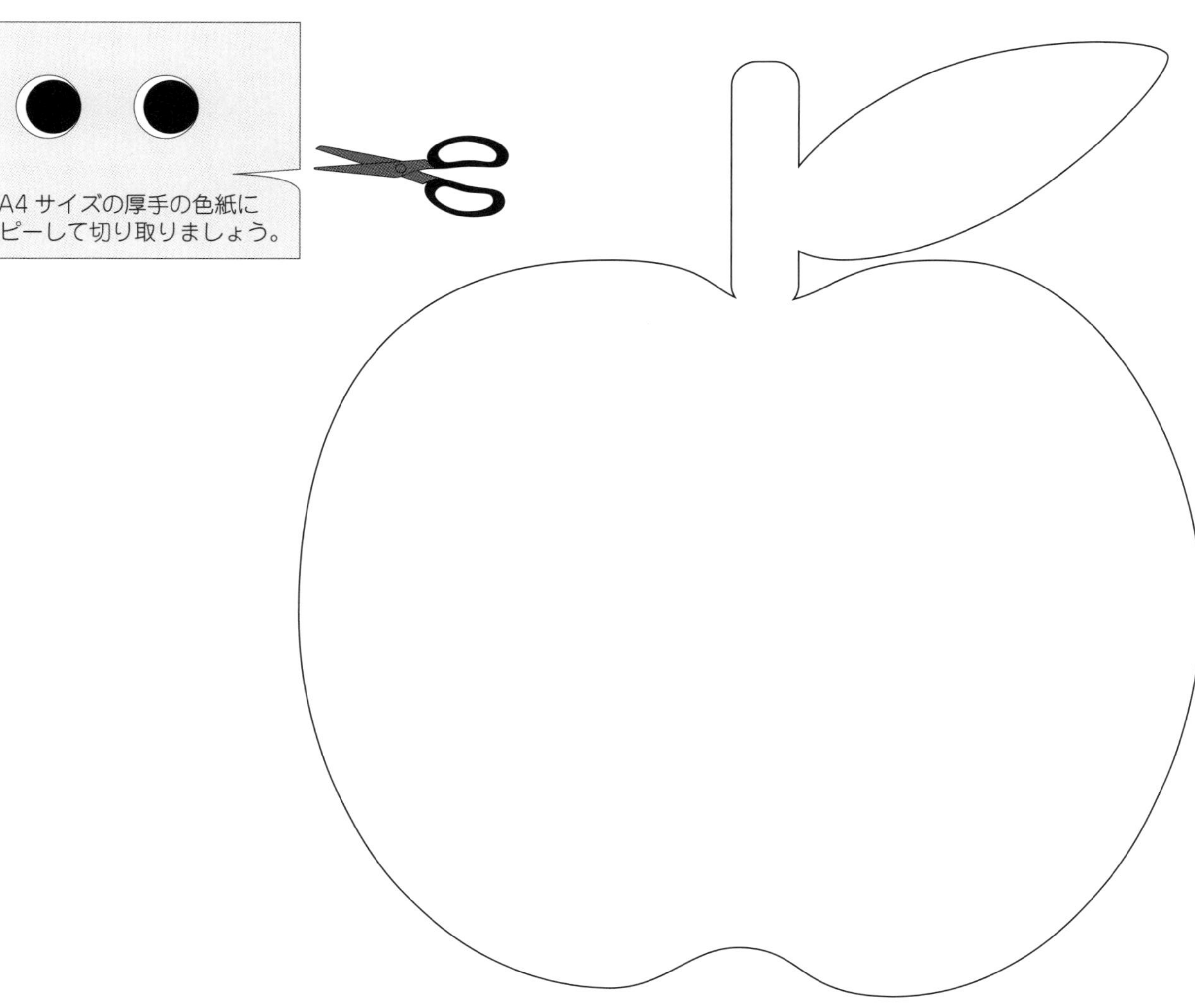

話しあいで使おう！：雲の型

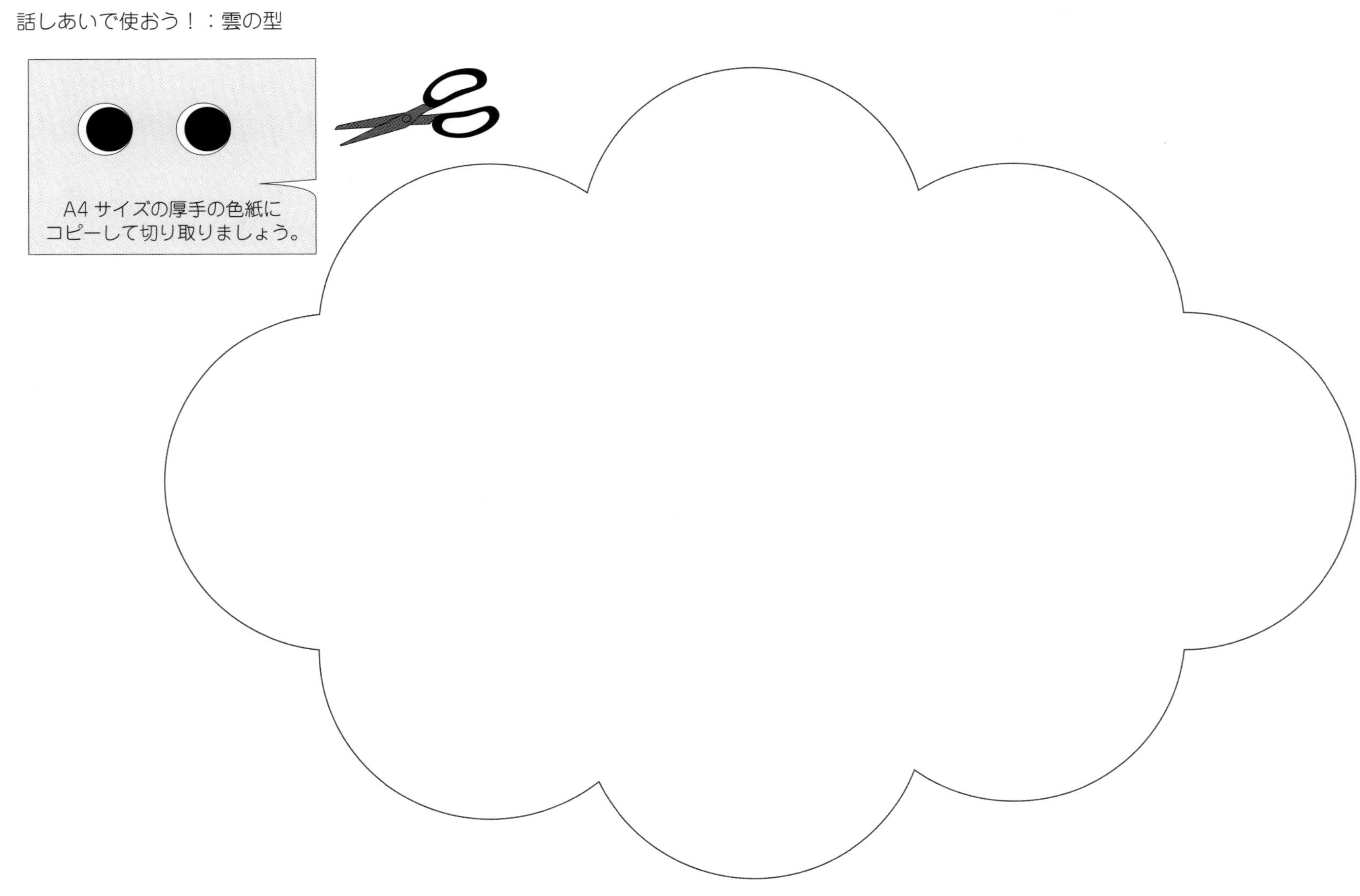
A4 サイズの厚手の色紙に
コピーして切り取りましょう。

話しあいで使おう！：ふねの型

A4 サイズの厚手の色紙に
コピーして切り取りましょう。

話しあいで使おう！：栗の型

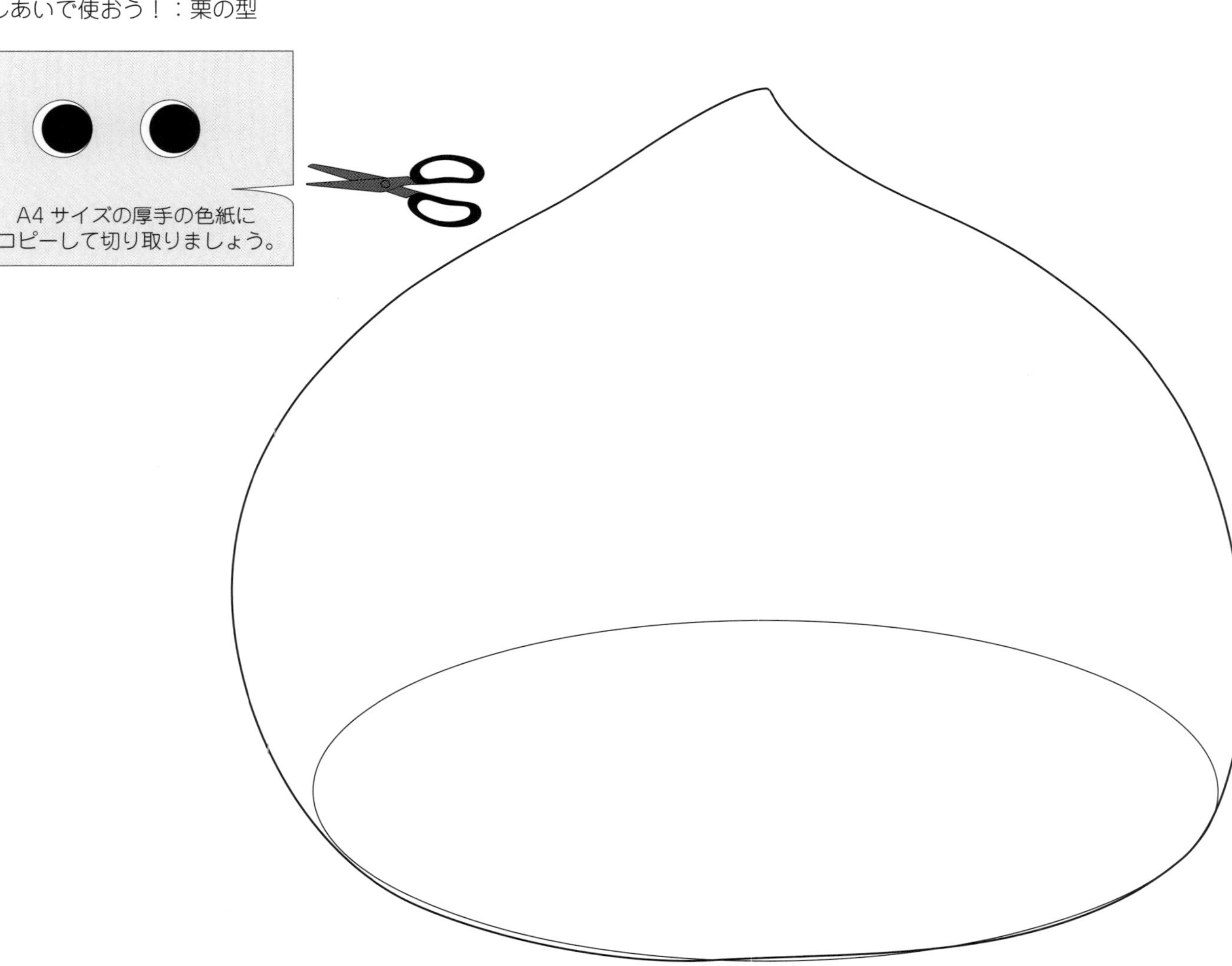

A4 サイズの厚手の色紙に
コピーして切り取りましょう。

A4 サイズの厚手の色紙に
コピーして切り取りましょう。

話しあいで使おう！：さかなの型

（5）プリントか、模造紙に書く

テーブルには、「集まり道具箱」からマジックとボールペンを出して置いておきます。また、この本も置いておきます。

プリントに書き込む場合

プリントには、参加者の意見をボールペンで直接に記入できます。

プリントを使うと、なぜ集まって話しあうのか、話しあいの目的から脱線せずに、話しあいを進めることができます。

模造紙を使う場合

参加者の意見をカードに大きな文字で書いて模造紙に貼りだすと、みんなに見えて、話しあいがしやすくなります。この本に「ねこの型」や「雲の型」などの型紙があります。事前に、色画用紙に型紙をコピーして切りぬいて、カードをたくさん準備しておきます。

プリントを参考に、ねこの型や雲の型のカードに、マジックで大きな文字を書きます。テーブルに模造紙を敷くか、掲示板に模造紙をがびょうでとめて、記入したカードをセロハンテープで貼ります。模造紙の余白には、マジックで書き込みもできます。マジックが染み出ないように、模造紙は５枚くらい重ねます。

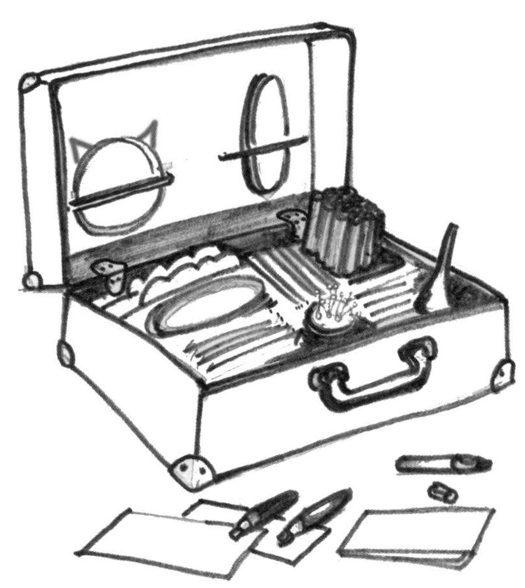

（6）会場での工夫

進行表

フリップチャート（大きな紙）に大きな文字で進行表を書いて掲示します。集まりの後に、他の用事がある参加者もいます。司会者は進行表の時間を守ります。

おやつ

会場には、おやつと飲み物を置きます。おやつと飲み物は、休憩時間以外にも、いつでも自由に取りに行けるようにします。

子ども空間

子どもたちが遊べるスペースとおもちゃを会場の一画に準備します。できれば、誰かが子どもたちのお世話をすると、子どもたちは楽しく参加でき、親も安心して話しあいに加わることができます。この本のイラストにぬり絵をすると楽しいですよ。

（7）集まりの開始時、司会者が参加者に伝えること

進行

集まりが始まったら、司会者は当日の進行について参加者に伝えます。
参加者は全体の進行が分かると安心します。

あいさつ

司会者や代表の挨拶は、できるだけ短くします。
一方、２人ほどの参加者に、参加理由や期待していることを話してもらいます。

記録

司会者は、参加者の写真を撮影し、ホームページなどに掲載して良いか、参加者に尋ねます。防犯上の理由から、未成年者を撮影しないと参加者に約束します。

記録と広報

集まりの開始時に、司会者を通じて参加者の撮影許可を得られたら、記録係は、話しあいをする参加者のグループ写真（個人ではなく、10人くらいが一緒に写った写真が好ましい）、成果発表のプリントや模造紙の写真、会場の周りの自然や風景写真を撮影します。もし、未成年者が写ってしまったらデータを削除します。

地元の役場のホームページなどを使わせてもらえるようでしたら、記録係は、集まりの記録と写真を掲載します。もし、協議会を結成したら、独自のホームページを開設するのもおすすめです。参加者の写真を掲載する際には、画像処理で顔をぼやかして、個人が特定できないようにするのも一案です。

（8）話しあいの進め方：午後２時から４時半頃までの集まり

前半の話しあい

司会者は、１つ目のプリントの解説を読みあげます。みんながプリントのやり方を理解したら、話しあいを始めます。話しあいの終了時間になったら、司会者は呼び鈴を鳴らします。１つのプリントは、20 分くらいの話しあいで終わらせます。１つのプリントに、長く時間を取りすぎると、話しあいが脱線します。

もし、たくさんの参加者がいる場合には、例えば、小グループの各テーブルに 10 人以上が座っているような場合は、参加者の了承を得てから、話しあいの時間を延長します。焦らずに、みんなが発言できるようにします。

休憩

20 分間くらい休憩します。呼び鈴で休憩時間の終了を知らせます。

後半の話しあい

休憩後、司会者は２つ目のプリントの解説を読みあげ、参加者は話しあいます。

成果発表

各テーブルの代表者が前に出て、記入したプリント、または、模造紙を掲示板に貼ります。代表者は自己紹介し、5 分位で話しあいの成果を発表します。もし、時間に余裕があれば、代表者以外の参加者も意見を発表します。発表後、成果を発表した人たち、意見をくれた人たちに、司会者がお礼の言葉をかけます。

終了

司会者は終了時刻になったら、次回の集まりについて案内します。遅くても、午後５時頃までには解散します。参加者の拘束時間はできるだけ短くします。

司会者は、時間の許す参加者には、おやつを食べて交流したり、一緒に後片づけをしたりと、会場に残ってもらうようにアナウンスします。

片付け

時間に余裕のある参加者は片付けを手伝い、自主的に集まりを運営する機運をつくります。

集まりを開催する曜日と時間帯

ドイツの人たちは、土曜日にはいろいろな用事をしています。午前中は、食料品の買い出しに出かけたり、家の掃除をしたり、庭の草木を手入れしたり、家の前の道路掃除をします。それらがひと段落するのが土曜日の昼ごろで、集まって話しあうのは「土曜日の午後」が多いようです。

日曜日は、家族や友人と遊んだり、ハイキングをしたり、休養したりします。

日本でも、家事がひと段落した「土曜日の午後」は、土日に休める人であれば、気持ちに余裕を持って参加できる時間帯かと思います。

職業などの関係から、「土曜日の午後」に集まるのが難しいこともあるかと思います。その場合は、みんなの都合が良い時間帯を見つけてください。

開始時刻は、午後２時頃だと、昼食を済ませてから慌てずに参加できます。

午後２時ぴったりに集合ではなく、少し早めに会場を開けておくのがおすすめです。早めに会場に来た人たちには、飲み物を飲んだり、おやつをつまんだりして、のんびりとお喋りしてもらいます。集まりを始める前に、参加者が交流し、リラックスして、楽しい気分になれます。

「集まり道具箱」をつくろう！

ドイツのLAGのリージョナル・マネージャーは、便利な道具が集められた、「集まり道具箱」を使っています。

いつでもみんなが話しあいできるように、会議室に常備してあります。また、車のトランクにも入れて、地域づくりの現場に携帯します。

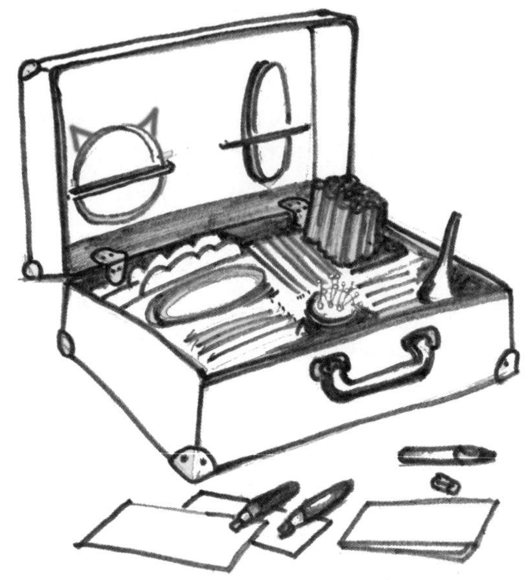

「集まり道具箱」とあわせて使うもの

・掲示板（まち針やがびょうが刺せる、ピンボード）
・フリップチャート（カレンダーのようにめくれる大きな紙）
・フリップチャートを引っかける三脚
・ホワイトボード
・コンピュータの画面を映す、プロジェクターとスクリーン

図解③:「集まり道具箱」

「集まり道具箱」
になる
入れ物

アタッシュケース・道具箱・旅行用トランク　など

サイズ　幅60cm × 奥行き40cm × 高さ20cm くらい。
（もっと大きくても良い）

5色の色画用紙を
切り抜いたカード
（各型・各色20枚）

黄、オレンジ、桃色、緑、水色
（文字が読める薄い色味）
ねこ、りんご、雲、ふね、栗、
丸、四角…の型

5色の丸いカラーシール
直径2cm

黄、オレンジ、桃色、緑、水色
（離れても見える
濃い色味）

黒・青・緑・赤・黄の
太めの油性マジック
（5色・各色7本）

ホワイトボードのマーカー

太めのボールペン（7本）

のり

セロハンテープ

はさみ

カッター

「集まり道具箱」
の中に
入れておくもの

まち針と針山

がびょう（プッシュピン）

マグネット

呼び鈴
（タイムキープ用）

指示棒

ポインター

memo

5

5つのステップ

見つめる つくる 試す 広げる 見つめなおす

ドイツでは、ローカル・アクション・グループ（LAG）が、地域づくりを段階的に進めています。ドイツのLAGが登る地域づくりのステップ（階段）について、この本では「5つのステップ」として整理しました。

この本の中で紹介する、第1回から第10回までの「集まって話しあう」を、順番に実施すると、みなさんの地域でも、ドイツのLAGのように「見つめる つくる 試す 広げる 見つめなおす」という、地域づくりの5つのステップを登ることができます。

図解④　5つのステップ　－見つめる、つくる、試す、広げる、見つめなおす－

ステップ1　見つめる

第1回　はじめましての集まり
「地域のいいところをさがす」
プリント：1、2、3

第2回　みんなの集まり
「地域の状況を把握し、何ができるか考える」
プリント：8、9

第3回　みんなの集まり
「地域の将来像をイメージする」
プリント：4（関連：5）、10

ステップ2　つくる

第4回　みんなの集まり
「地域づくりの協議会をつくる」
プリント：11、12、13

第5回　代表理事の集まり
「協議会の協力体制をつくる」
プリント：14a、14b、15（関連：16、17a、17b、18）

ステップ3　試す

第6回　取組グループの集まり
「取組の種をまき、育てよう！」
プリント：19、20（関連：7）

ステップ4　広げる

第7回　勉強会の集まり
「他の地域と交流して学ぼう、広がろう」
プリント：21、6

ステップ5　見つめなおす

第8回　自己評価の集まり1
「みんなの協力を確認する」
プリント：22（関連：23a、23b）

第9回　自己評価の集まり2
「協議会の運営に満足しているか？」
プリント：24a、24b

第10回　自己評価の集まり3
「取組はうまくいっているか？」
プリント：25

ステップ1　見つめる

第1回　はじめましての集まり「地域のいいところをさがす」

地域づくりでは、なにが地域のいいところかを知ることが大切です。

この集まりでは、私たちが暮らし、働く地域には、どのような地域らしさがあるかを、話しあいながら見つけていきます。

地域づくりの取組を集めて、どのような取組があるのかを把握します。

地域づくりの取組を手がけている地元の人たちや組織について知り、協議会のメンバーになってくれる候補者を、一人でも多く見つけます。

この集まりは、地域づくりをスタートさせる行事として位置づけて、話しあいの終了後に祝賀会を開催するのもおすすめです。

第2回　みんなの集まり「地域の状況を把握し､なにができるか考える」

私たちが暮らし、働く地域には、さまざまな課題があります。地元の人たちや組織は、それぞれの課題に対応して地域づくりに取り組んでいます。また、今後、取り組む必要があると、検討しているアイデアもあるでしょう。

どの取組も、その大切さは、優越がつけ難いものです。しかし、全ての取組を実現するには、人手や資金が足りないのが悩ましいところです。

そこで、この集まりでは、それぞれの取組の置かれた状況を確かめます。それぞれの取組の状況を知ったうえで、どのように地元の人たちや組織が連携できるか話しあいます。具体的には、今、どの取組に地域の人たちや組織の力を全集中させるべきかを話しあいます。また、今後、いつ、どの取組に取り組むべきか、みんなが取組に協力する時期、順番について話しあいます。

誰が、何人、集まりに参加するの？

第１回から第３回までの集まりでは、地域づくりに関心のある人たちと組織から、毎回、30 人くらいが参加します。

第３回　みんなの集まり「地域の将来像をイメージする」

地域の人たちと組織が地域の将来像を共有し、協力しながら目指していくと、地域づくりの苦労や喜びを分かちあえ、地域づくりが楽しくなります。

この集まりでは、私たちが暮らし、働く地域の目標を大きくとらえます。

目標を定めたら、具体的にやるべきこと（ミッション）を決めます。

目標を達成すると、どんな地域ができあがるのか、将来像を描きます。

ステップ２　つくる

第４回　みんなの集まり「地域づくりの協議会をつくる」

地域の人たちと組織が集まって、地域づくりの協議会をつくります。

「図解⑤　地域づくり協議会のメンバー構成（例）」を参考に、協議会の全体像を把握します。

「図解⑥　地域づくり協議会を設立する」を参考に、「①分野グループ」と、住民・公益・民間・行政の「②セクター別グループ」をつくります。

各グループの代表者が、協議会の代表理事に就任します。集まりの参加者に、そのことを分かりやすく伝えてから、話しあいを始めます。

誰が集まりに参加するの？

第３回と第４回の集まりは、地域づくりの協議会に参加したい、全ての人たちと組織が参加します。

協議会のメンバーを広報誌などで募集しても、なかなか集まらないかと思います。筆者らの経験では、ドイツでも、日本でも、地域の人たちに対面で協議会の役割についてお伝えし、協議会メンバーになりませんかとお誘いすると、みんなが賛同して、メンバーに加わってくれました。

なぜ、協議会には、「分野グループ」と「セクター別グループ」があるの？
協議会のメンバーは、分野グループとセクター別グループの両方に所属します。つまり、１人が同時に、２つのグループに所属します。
分野グループでは、多様な立場の人たちが、異なる意見をもって協議し、新しいアイデアを創造します。
セクター別グループでは、専門性という縦割りのメリットを活かして、新しいアイデアを具体化するために、立ちはだかる障壁を取り除きます。
新しいアイデアを創造し、それらを確実に実現するために、１人が同時に、２つのグループに所属します。

第５回　代表理事の集まり「協議会の協力体制をつくる」

協議会の役割には、「①地域の人たちと組織の連携づくり」、「②さまざまな助成事業の把握と応募・申請のアドバイス」、「③取組の現場協力（進捗状況の把握と協力）」、「④広報活動」、「⑤協議会の運営・地域内外の会議への出席」、「⑥協議会の経営・経理、事務」があります。
この集まりでは、協議会の代表理事が、協議会の運営に必要な仕事について把握し、自らの役割分担を決め、また、代表理事以外の人たちへの分担依頼について話しあいます。
そのほか、協議会が役割を果たすために、なにかを決断しなくてはならない場面があるので、協議会として、なにかを決める際のルールと手順も定めます。

誰が集まりに参加するの？
協議会の代表理事が参加します。参加者の中から司会者を選出します。
もし、すでにリージョナル・マネージャーやアシスタントが協議会にいるようでしたら、司会と進行をお願いします。

ステップ３　試す

第６回　取組グループの集まり「取組の種をまき、育てよう！」

EU では、ローカル・アクション・グループ（LAG）が、７年間の単位で、地域づくりの計画をつくり、取組を実施します。地域づくりの一つ一つの取組は、小さな種をまくように始めて、時間をかけて育てていきます。

この集まりでは、ある特定の取組に関して、その育て方を話しあいます。地域で同様の小さな取組をたくさんつくるか、今ある小さな取組を大きく育てるのかを考えます。取組の未来の姿を想像し、話しあいながら、節目、節目の目標を定めます。また、取組に必要な人材、組織、資金について整理します。

誰が集まりに参加するの？

地域づくりに関わる人たちと組織から、あわせて 10 人くらいが参加します。実際に取組を実施中である、もしくは、具体的に取組の実施を検討しているグループのメンバーが参加します。

ステップ４　広げる

第７回　勉強会の集まり「他の地域と交流して学ぼう、広がろう」

地域づくりを続けると、うまくいくこと、うまくいかないことが出てきます。

この勉強会の集まりでは、他の地域の人たちと交流して、地域づくりのノウハウや、新しい取組のアイデアを情報交換します。また、協議会の設立や運営方法について、他の地域の人たちの話を聞いて参考にします。

第７回勉強会の集まりの詳しい運営方法は、解説：第７回勉強会の集まり「他の地域と交流して学ぼう、広がろう」の進行にて、紹介しています（p.208）。

誰が集まりに参加するの？

いくつかの地域の人たちが、１泊２日の勉強会に参加します。各地域の地域づくりに関わる人たちと組織から３人前後ずつ、あわせて 15 人くらいが参加します。

ステップ5　見つめなおす

第8回　自己評価の集まり１「みんなの協力を確認する」

地域の人たちと組織が協力しながら、地域づくりに取り組んでいるかどうかを確認します。この集まりでは、地域づくりの「協力図」を作成しながら話しあい、協力関係を改善するために、お世話する人を決めます。解説：第８回自己評価の集まり１「みんなの協力を確認する」の進行を参考にします（p.212)。

第9回　自己評価の集まり２「協議会の運営に満足しているか？」

協議会の運営について、協議会メンバーをはじめ、地域の人たちと組織の意見を聞いて反映させます。年に１回くらいは、協議会の代表理事会の議題にして、協議会の活動を振り返りながら話しあいます。

この集まりでは、協議会の運営と活動がうまくいっているか、そうでないかを「ものさし」を使って話しあいます。みんなが協力して協議会を運営できるような改善案について話しあい、お世話する人を決めます。解説：第９回自己評価の集まり２「協議会の運営に満足しているか？」の進行を参考にします（p.224)。

第10回　自己評価の集まり３「取組はうまくいっているか？」

地域づくりの取組の進み具合について、ある実際の取組を実施している地域の人たちと組織が、話しあいながら確認します。取組がうまくいったか、そうでないかをふり返ります。今後、うまくいきそうか、そうでないかも考えて、取組のかじ取りをします。解説：第10回自己評価の集まり３「取組はうまくいっているか？」の進行を参考にします（p.228)。

誰が集まりに参加するの？

第８回、第９回、第10回の自己評価の集まりには、地域づくりの取組に関わる人たちと組織から、毎回、10人くらいが参加します。

また、協議会の代表理事会でも、集まって自己評価できます。

次第書＋プリントの使い方

地域づくりをしていると、いろいろと話しあうことがあります。

ここからは、集まって話しあう目的・内容、参加者について、全部で10回分を紹介します。毎回の集まりでは、2時間くらいの時間をかけて話しあいます。

ドイツのローカル・アクション・グループ（LAG）が、実際に行っている方法を参考に紹介します。

この本には、「次第書」・「プリント」・「図解」・「解説」があります。
集まって話しあう際には、これらを組みあわせて使います。

「次第書」：集まって話しあう目的・内容、持ち物、進行表が書いてあります。
「プリント」：集まりでは、プリントの項目に沿って話しあいます。
「図解」・「解説」：プリントの使い方について、図解と解説でお伝えします。

誰が、何人で「集まって話しあう」の？

答え1

・毎回、集まって話しあう目的が異なっていて、誰が集まるか、何人が集まるかは異なります。
・「❺ 5つのステップ」のページの中で（P.123 ～）、四角で囲んだ「誰が集まりに参加するの？」を参考にして、各集まりで、誰が、何人、集まるのかを確認してください。

質問 2

なにについて「集まって話しあう」の？

答え2

・集まって話しあいながら、地域の将来像を描き、地域づくりの目標を定め、取組を計画し、実施し、自己評価します。そのための協議会もつくります。
・第1回から第10回までの集まりの「次第書」の中では、左側の猫が、各回の話しあう目的・内容を紹介しています。

どの集まりで、どのプリントを使うの？

答え3

・「次第書」の中で、右側の猫が、どのプリントを使うかを紹介しています。
・「どの集まりで、どのプリントを使うの？」（P.134）では、10回分の集まりに関して、全てを一覧できます。

みんなが集まったら、どのように話しあうの？

答え4

・参加者の中から司会者を選出して、司会と進行をお願いします。
・「次第書」の右側にある、進行表に沿って話しあいます。
・小さなグループに分かれて、プリントを使って具体的に話しあいます。

この本の使い方

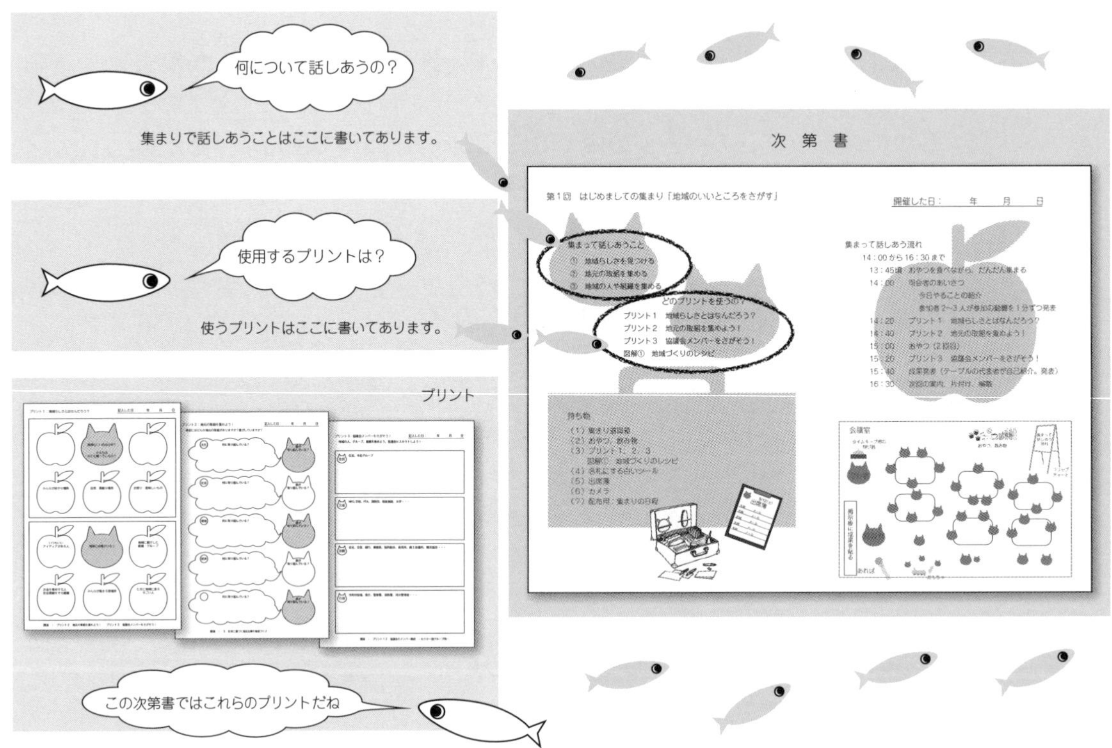

何について話しあうの？
集まりで話しあうことはここに書いてあります。
使用するプリントは？
使うプリントはここに書いてあります。
プリント
この次第書ではこれらのプリントだね
次 第 書
第1回 はじめましての集まり「地域のいいところをさがす」
開催した日： 年 月 日
集まって話しあうこと
① 地域らしさを見つける
② 地元の取組を集める
③ 地域の人や組織を集める
どのプリントを使うの？
プリント1 地域らしさとはなんだろう？
プリント2 地元の取組を集めよう！
プリント3 協議会メンバーをさがそう！
図解① 地域づくりのレシピ
集まって話しあう流れ
14：00から16：30まで
13：45頃 おやつを食べながら、だんだん集まる
14：00 司会者のあいさつ
今日やることの紹介
参加者2〜3人が参加の動機を1分ずつ発表
14：20 プリント1 地域らしさとはなんだろう？
14：40 プリント2 地元の取組を集めよう！
15：00 おやつ（2回目）
15：20 プリント3 協議会メンバーをさがそう！
15：40 成果発表（テーブルの代表者が自己紹介、発表）
16：30 次回の案内、片付け、解散
持ち物
（1）集まり道具箱
（2）おやつ、飲み物
（3）プリント1、2、3
図解① 地域づくりのレシピ
（4）名札にする白いシール
（5）出席簿
（6）カメラ
（7）配布用：集まりの日程
会議室

【ポイント】
　なぜ集まって話しあうのか、その目的を意識しながら話しあいます。そうすると、地域の人たちの意見が、まとまりやすくなりますよ。

質問5 「集まって話しあう」は、10回分を全部しないとだめなの？

答え5

・いいえ。全部しなくてもかまいません。しかし、NYAGの猫たちの話によると、第1回から第10回までを順番にすると、5つのステップ（階段）を登ることができるのが、この本のいいところだそうです。

・ドイツのローカル・アクション・グループ（LAG）の人たちは、7年間かけて5つのステップを登ります。次の7年間でも、再びステップ1から順番に登り、地域づくりの能力を高めます。

ステップ1：LEADERの7つの道具を使い、地域を「見つめる」
ステップ2：協議会とその運営の仕組を「つくる」
ステップ3：地域の将来像を描き、取組を「試す」
ステップ4：他の地域と交流して、視野と知識を「広げる」
ステップ5：現場の経験から地域づくりを「見つめなおす」

質問6 5つのステップを登るのは、大変そう・・・

答え6

・はい。5つのステップを登るのは楽しいですが、かなり大変です。

・ドイツのLEADER地域では、協議会が補助金を得て、コンサルタントに業務委託して手伝ってもらいながらステップ1と2を登り、州とEUにローカル・アクション・グループ（LAG）として応募します。採用後、LAGはステップ2で計画した通りに、リージョナル・マネージャーを雇用・業務委託して、ステップ3、4、5と登ります。LAGは補助金、自治体の出資、寄付金を集めて、LAGの運営費を支払います。

・みなさんの地域にマネージャーさんがいることは少なく、そのためのお金の工面も難しいと、筆者らは想像しています。この本を手にした方は「現実的ではない」と思うかもしれません。もしも、この本が、みなさんが地域づくりに必要と思う事項とその理由を整理するうえで、一助になれば幸いです。

どの集まりで、どのプリントを使うの？

5つのステップ

ステップ1　見つめる

第1回

はじめましての集まり「地域のいいところをさがす」
　プリント1 地域らしさとはなんだろう？
　プリント2 地元の取組を集めよう！
　プリント3 協議会メンバーをさがそう！
　図解① 地域づくりのレシピ
　図解③「集まり道具箱」

第2回

みんなの集まり「地域の状況を把握し、なにができるか考える」
　プリント8 今、取組を始めるか？ 潮目を読んで船出する
　プリント9 いつ、どの取組を始めるか？

第3回

みんなの集まり「地域の将来像をイメージする」
　プリント4 イノベーション
　図解② イノベーション
　プリント10 みんなで思い描く、地域の将来像

関連プリント

　プリント5 多様な視点を組みあわせるとなにができる？

ステップ2　つくる

第4回

みんなの集まり「地域づくりの協議会をつくる」

プリント 11 協議会のメンバー構成 –分野グループ用–

プリント 12 協議会のメンバー構成 –セクター別グループ用–

プリント 13 協議会と代表理事会の構成

図解⑤ 地域づくり協議会のメンバー構成（例）

図解⑥ 地域づくり協議会を設立する

第5回

代表理事の集まり「協議会の協力体制をつくる」

プリント 14a 分野グループの役割を決める

プリント 14b 協議会運営の役割を分担する

図解⑦ 協議会運営の役割分担

プリント 15 やるか、やらないか決める

投票用紙

関連プリント

プリント 16 リージョナル・マネージャーの人材像とは？

図解⑧ 協議会（リージョナル・マネージメント）の拠点をつくる

プリント 17a 協議会の拠点の準備リスト その1

プリント 17b 協議会の拠点の準備リスト その2

図解⑨ ドイツのリージョナル・マネージャーの1週間（例）

プリント 18 リージョナル・マネージャーの
バランスの良い1週間

ステップ3　試す

第6回

取組グループの集まり「取組の種をまき、育てよう！」
プリント 19 いつまでに、どこまで進むか？
プリント 20 取り組む際に考えること、決めること

関連プリント
プリント7 身近で取り組む？ 広域で取り組む？

ステップ4　広げる

第7回

勉強会の集まり「他の地域と交流して学ぼう、広がろう」
プリント 21 どんな創意工夫をしたの？
プリント6 気になる地域と仲間になろう！

投票用紙 □やる　□やらない　□棄権する（投票しない）	投票用紙 □やる　□やらない　□棄権する（投票しない）
投票用紙 □やる　□やらない　□棄権する（投票しない）	投票用紙 □やる　□やらない　□棄権する（投票しない）
投票用紙 □やる　□やらない　□棄権する（投票しない）	投票用紙 □やる　□やらない　□棄権する（投票しない）
投票用紙 □やる　□やらない　□棄権する（投票しない）	投票用紙 □やる　□やらない　□棄権する（投票しない）

ステップ５　見つめなおす

第８回　自己評価の集まり１「みんなの協力を確認する」
　プリント 22 協力図の「作り方」「読み方」

関連プリント

プリント 23a がっかりな協議会事典１

プリント 23b がっかりな協議会事典２

第９回　自己評価の集まり２「協議会の運営に満足しているか？」
　プリント 24a 協議会の運営に満足しているか？ その１
　プリント 24b 協議会の運営に満足しているか？ その２

第10回　自己評価の集まり３「取組はうまくいっているか？」
　プリント 25 取組はうまくいっているか？

話しあいで使おう！ 色画用紙でつくる型紙

ねこの型

りんごの型

雲の型

ふねの型

栗の型

さかなの型

開催した日：　　年　　月　　日

第１回　はじめましての集まり「地域のいいところをさがす」

集まって話しあうこと

① 地域らしさを見つける
② 地元の取組を集める
③ 地域の人や組織を集める

どのプリントを使うの？

プリント１　地域らしさとはなんだろう？
プリント２　地元の取組を集めよう！
プリント３　協議会メンバーをさがそう！
図解①　地域づくりのレシピ

持ち物

（１）集まり道具箱
（２）おやつ、飲み物
（３）厚めの模造紙（５枚以上）
（４）プリント１、２、３
　　図解①　地域づくりのレシピ
（５）名札にする白いシール
（６）カメラ
（７）配布用：集まりの日程

集まって話しあう流れ

14：00から16：30まで

13：45頃	おやつを食べながら、だんだん集まる
14：00	司会者のあいさつ
	今日やることの紹介
	参加者2〜3人が参加の動機を１分ずつ発表
14：20	プリント１　地域らしさとはなんだろう？
14：40	プリント２　地元の取組を集めよう！
15：00	おやつ（２回目）
15：20	プリント３　協議会メンバーをさがそう！
15：40	成果発表（テーブルの代表者が自己紹介。発表）
16：30	次回の案内、片付け、解散

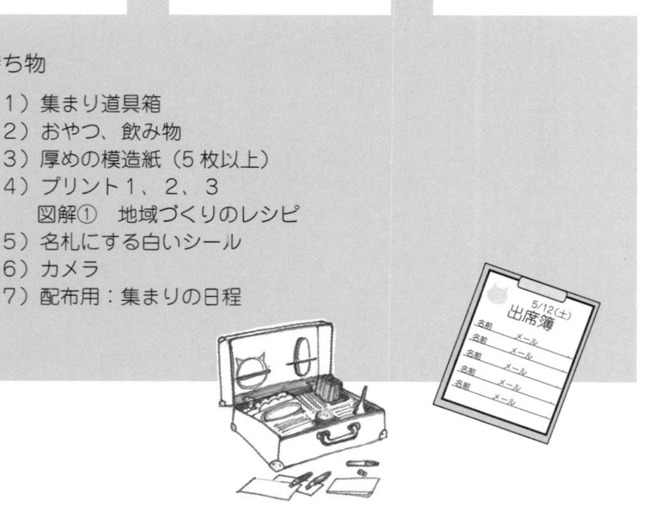

第２回　みんなの集まり「地域の状況を把握し、なにができるか考える」

開催した日：　　　年　　　月　　　日

集まって話しあうこと

① 地域にはたくさんの課題と、それぞれの課題に対応した取組がある。
それぞれの取組をとりまく状況を、個別に把握する
② 地域全体で、人々と組織が協力して、いつ、どの取り組みを始めるか、順番を決める

どのプリントを使うの？

プリント８　今、取組を始めるか？ ー潮目を読んで船出するー
プリント９　いつ、どの取組を始めるか？

持ち物

（１）集まり道具箱
（２）おやつ、飲み物
（３）厚めの模造紙（５枚以上）
（４）プリント８、９
（５）名札にする白いシール
（６）カメラ
（７）配布用：集まりの日程

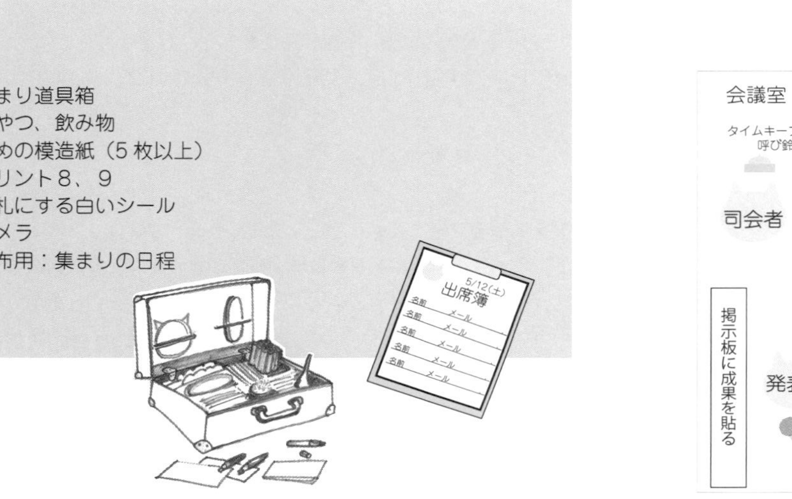
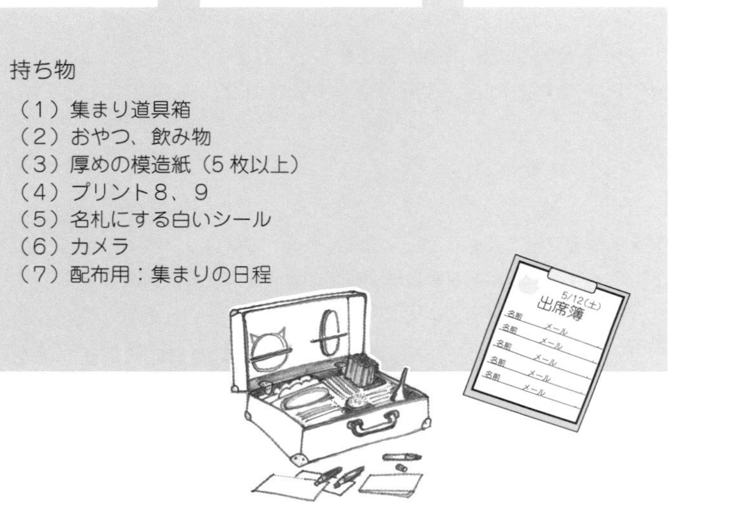

集まって話しあう流れ

14：00 から 16：30 まで

13：45頃　おやつを食べながら、だんだん集まる
14：00　司会者のあいさつ
今日やることの紹介
参加者 2～3 人が今日、
期待していることについて１分ずつ発表
14：20　プリント８　今、取組を始めるか？
15：00　おやつ（２回目）
15：20　プリント９　いつ、どの取組を始めるか？
15：40　成果発表（テーブルの代表者が自己紹介。発表）
16：30　次回の案内、片付け、解散

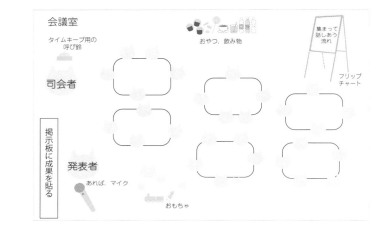

会議室
タイムキープ用の呼び鈴
おやつ、飲み物
集まって話しあう流れ
フリップチャート
司会者
掲示板に成果を貼る
発表者
あれば、マイク
おもちゃ

第３回　みんなの集まり「地域の将来像をイメージする」

集まって話しあうこと

① 地域の取組がいろいろと集まったところで、それらに取り組むと、どんな地域になるか？地域の目標と将来像を大きく捉える
② 目標を達成するために、やるべきこと（ミッション）と手段を考える

どのプリントを使うの？

プリント　４　イノベーション
参考　プリント５　多様な視点を組みあわせるとなにができる？
プリント１０　みんなで思い描く、地域の将来像

持ち物

（１）集まり道具箱
（２）おやつ、飲み物
（３）厚めの模造紙（５枚以上）
（４）プリント４、５、１０
（５）名札にする白いシール
（６）カメラ
（７）配布用：集まりの日程

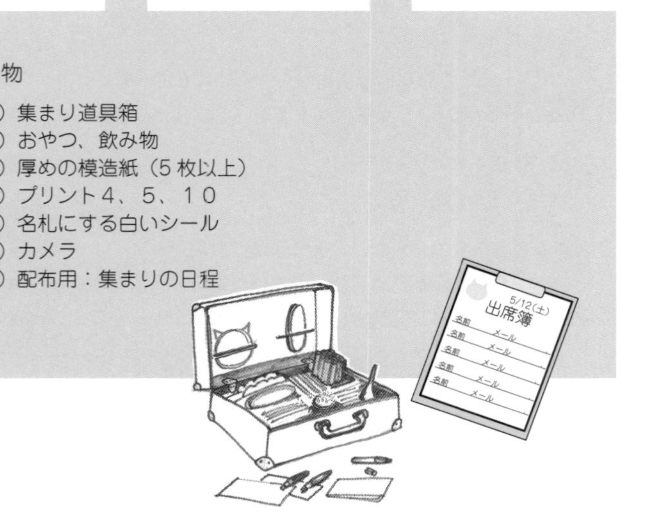

開催した日：　　　年　　　月　　　日

集まって話しあう流れ

14：00 から 16：30 まで

13：45頃　おやつを食べながら、だんだん集まる
14：00　司会者のあいさつ
　今日やることの紹介（集まって話しあうこと）
　参加者２〜３人が今日、
　期待していることについて１分ずつ発表
14：20　プリント１０　みんなで思い描く、地域の将来像
15：00　おやつ（２回目）
15：20　プリント４　イノベーション（参考　プリント５）
15：40　成果発表（テーブルの代表者が自己紹介。発表）
16：30　次回の案内、片付け、解散

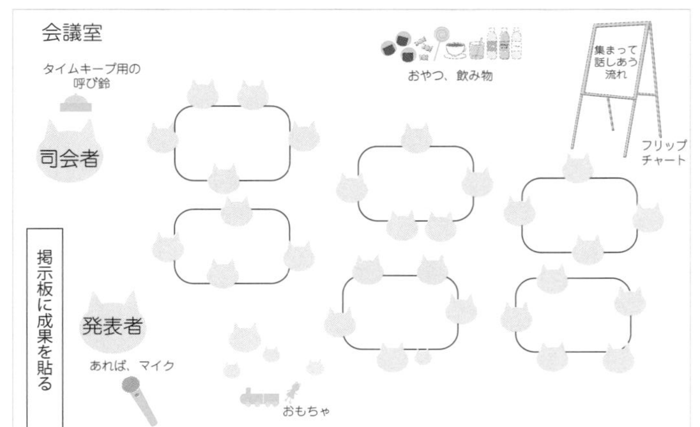

第４回　みんなの集まり「地域づくりの協議会をつくる」

開催した日：　　　年　　　月　　　日

集まって話しあうこと

① 協議会の分野グループをつくり、それぞれの代表者（代表理事）を選ぶ
② 協議会の住民・民間・公益・行政セクターの代表者（代表理事）を選ぶ

どのプリントを使うの？

プリント１１　協議会のメンバー構成　ー分野グループ用ー
プリント１２　協議会のメンバー構成　ーセクター別グループ用ー
プリント１３　協議会と代表理事会の構成
図解⑤　地域づくり協議会のメンバー構成（例）
図解⑥　地域づくり協議会を設立する

持ち物

（１）集まり道具箱
（２）おやつ、飲み物
（３）厚めの模造紙（５枚以上）
（４）プリント１１、１２、１３、図解⑤、⑥
（５）名札にする白いシール
（６）カメラ
（７）配布用：集まりの日程

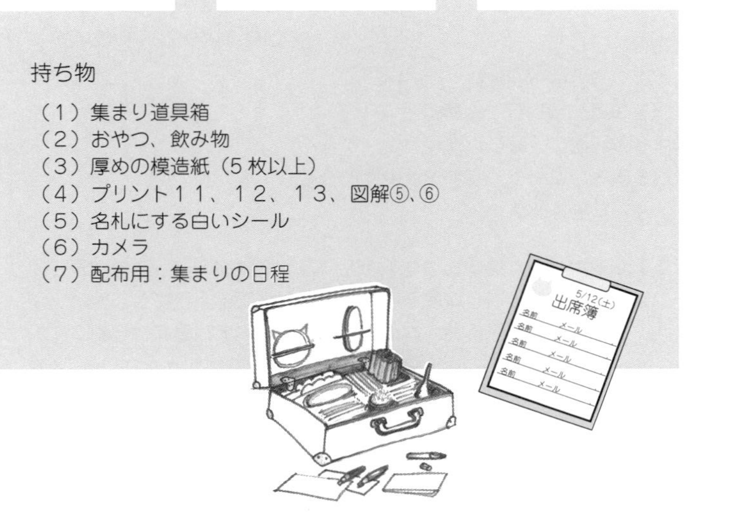

集まって話しあう流れ

14：00 から 16：30 まで

13：45 頃　おやつを食べながら、だんだん集まる
14：00　司会者のあいさつ
　今日やることの紹介
　参加者 2〜3 人が今日、
　期待していることについて１分ずつ発表
14：20　プリント１１　分野グループをつくる。代表者を選ぶ
15：00　おやつ（２回目）
15：20　プリント１２　４つのセクターの代表者を選ぶ
15：40　成果発表（代表理事があいさつ。プリント１３に記入）
16：30　次回の案内、片付け、解散

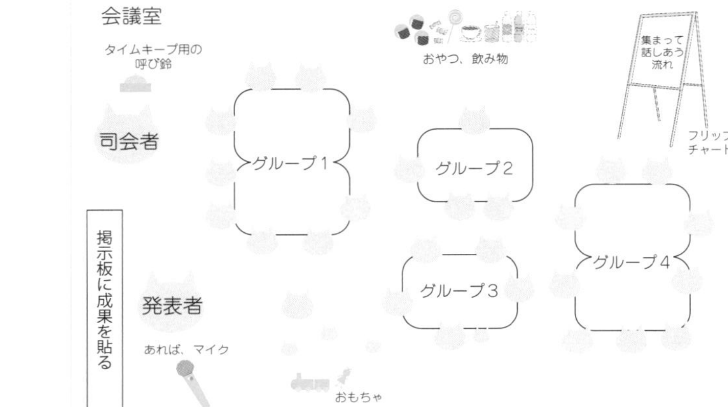

第５回　代表理事の集まり「協議会の協力体制をつくる」

開催した日：　　年　　月　　日

集まって話しあうこと

① 協議会の運営には、どのような仕事が必要か把握する
② 協議会を運営するために、役割分担を決める
③ 協議会で何かを決めるとき、どのように決めるかルールを考える

どのプリントを使うの？

プリント１４a 分野グループの役割を決める
プリント１４b 協議会運営の役割を分担する
図解⑦　協議会運営の役割分担
プリント１５ やるか、やらないか決める
投票用紙

誰が集まりに参加するの？

代表理事、リージョナル・マネージャー、アシスタント

持ち物

（１）集まり道具箱
（２）おやつ、飲物
（３）厚めの模造紙（５枚以上）
（４）プリント１４a、１４b、解説：プリント１４a・b
図解⑦、投票用紙
プリント１５
（５）名札にする白いシール、出席簿
（６）カメラ
（７）配布用：今後の集まりの日程

集まって話しあう流れ

土曜日の14：00から16：00まで

13：45頃　おやつを食べながら、だんだん集まる
14：00　司会者のあいさつ
・協議会の運営に関して話しあうことを説明
・今日やることの紹介
14：20　（1）プリント１４a　分野グループの役割を決める
（2）プリント１４b　協議会運営の役割を分担する
（3）協議会の運営を理解する（解説：プリント１４b）
15：00　おやつ（２回目）
15：20　（4）プリント１５　やるか、やらないか決める
ためのルールをつくる
16：00　次回の集まりの案内、片付け、解散

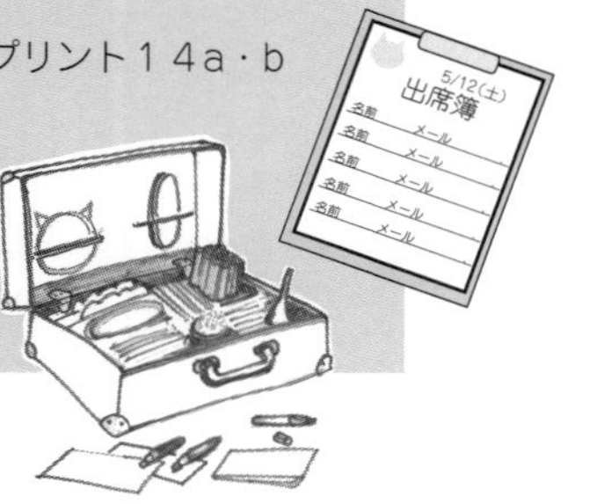

第６回　取組グループの集まり　「取組の種をまき、育てよう！」

開催した日：　　　年　　　月　　　日

集まって話しあうこと

① 取組の数を増やすか、取組を大きく育てるか考える
② 取組の未来の姿について話しあい、節目、節目の目標を定める
③ 取組を育てるために必要な人材、組織、資金を整理する

どのプリントを使うの？

プリント１９　いつまでに、どこまで進むか？
プリント２０　取り組む際に考えること、決めること
関連：プリント７　身近で取り組む？　広域で取り組む？

誰が集まりに参加するの？
地域づくりに取り組む人たちと組織から１０人位

持ち物
（1）集まり道具箱
（2）おやつ、飲物
（3）厚めの模造紙（5 枚以上）
（4）プリント１９、２０、７
（5）名札にする白いシール、出席簿
（6）カメラ
（7）配布用：今後のワークショップの日程

集まって話しあう流れ

土曜日の 14：00 から 16：00 まで

13：45 頃	おやつを食べながら、だんだん集まる
14：00	司会者のあいさつ 今日やることの紹介 ・取組の育て方を考える ・節目、節目の目標を定める ・必要な人材、組織、資金を整理する
14：20	プリント１９　いつまでに、どこまで進むか？
15：00	おやつ（２回目）
15：20	プリント２０　取り組む際に考えること、決めること
16：00	次回の集まりの案内、片付け、解散

第７回　勉強会の集まり「他の地域と交流して学ぼう、広がろう」

開催した日：　　　年　　　月　　　日

集まって話しあうこと

① 他の地域の人たちと交流し、アドバイスしあう
② 新しい取組のアイデアやノウハウを交換する
③ 協議会の運営方法について、他地域を参考にする

どのプリントを使うの？

プリント２１　どんな創意工夫をしたの？
プリント　６　気になる地域と仲間になろう！

誰が集まりに参加するの？

地域づくりに取り組む人たちと組織や、協議会メンバー、
5 地域位の合同勉強会で（もちまわり）、各地域から 3 名位が参加。
リージョナル・マネージャーが、複数の地域から合計 15 名参加してもいい。

持ち物

（１）集まり道具箱
（２）おやつ、お弁当・ケータリング、飲物、
　　マイクロバス、宿泊施設
（３）厚めの模造紙（5 枚以上）
（４）プリント6、２１
（５）名札にする白いシール、出席簿
（６）カメラ
（７）配布用：今後の勉強会の日程

5/12(土)
出席簿
名前　メール
名前　メール
名前　メール
名前　メール
名前　メール

集まって話しあう流れ（1泊2日）

土曜日の 14:00 から 17:00 まで

13:45 頃	おやつを食べながら、だんだん集まる
14:00	司会者のあいさつ ・今日やることの紹介
14:20	（１）プリント２１　どんな創意工夫をしたの？（発表２名）
15:00	おやつ（2 回目）
15:30	（２）プリント２１　どんな創意工夫をしたの？（発表３名）
16:30	（３）プリント６　気になる地域と仲間になろう！を使い、 今後の勉強会の日程を決める
17:00	交流会

日曜日の 10:00 から 12:00 まで

10:00 頃	地域の取組の現地見学会
12:00 頃	昼食　食後にだんだん解散する

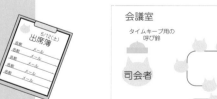

会議室
タイムキープ用の呼び鈴
おやつ、飲み物
ワークショップの流れ
フリップチャート
司会者
発表者
あれば
おもちゃ
掲示板に成果を貼る

第8回　自己評価の集まり１「みんなの協力を確認する」

開催した日：　　　年　　　月　　　日

集まって話しあうこと

地域づくりに取り組む人々と組織が、

① どのように協力しているか確認する
② 協力関係を見つけて感謝する
③ 協力していない関係を見つけて、可能なら改善する

どのプリントを使うの？

プリント２２　協力図の「作り方」「読み方」
プリント２３a、２３b　がっかりな協議会事典

持ち物

（１） 集まり道具箱
（２） おやつ、飲物
（３） 厚めの模造紙（5枚以上）
（４） プリント２２、２３a、２３b
（５） 名札にする白いシール、出席簿
（６） カメラ
（７） 配布用：今後の集まりの日程

集まって話しあう流れ

土曜日の14：00から16：00まで

13：45頃　おやつを食べながら、だんだん集まる
14：00　司会者のあいさつ
・どの取組について話しあうか説明
・今日やることの紹介
・作業方法の説明（協力図の「作り方」「読み方」）
14：20　協力図をつくろう！
（１）取り組んでいる人名・組織名を書く（色カード）
（２）将来、取り組んで欲しい人名・組織名を書く
（３）模造紙に協力図を描く
15：00　おやつ（２回目）
15：20　協力関係をつくるには？
（４）協力関係、協力していない関係を見つける
（５）改善方法を考え、お世話する人を選ぶ
16：00　次回の案内、片付け、解散

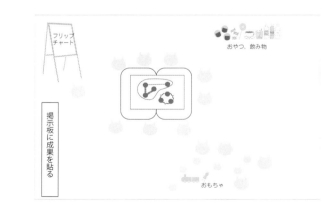

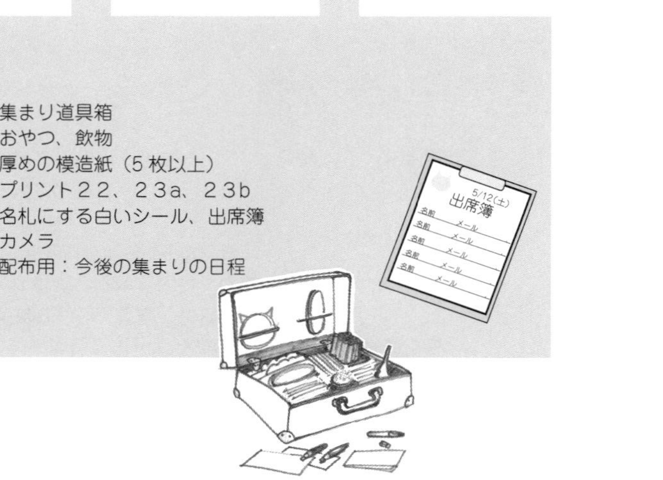

第９回　自己評価の集まり２　「協議会の運営に満足しているか？」

集まって話しあうこと

・　協議会の運営がうまくいっているか、そうでないか確認する
・　みんなが協力して運営できるよう、改善案をみつける

分野　①地域の人々と組織の連携づくり
②助成事業の把握と応募・申請のアドバイス
③取組の進捗状況の把握と協力
④広報活動
⑤協議会の運営
⑥協議会の経営・事務

どのプリントを使うの？

プリント２４aとプリント２４b
協議会の運営に満足しているか？

持ち物

（１）　集まり道具箱
（２）　おやつ、飲物
（３）　厚めの模造紙（5 枚以上）
（４）　プリント２４a、２４b
（５）　名札にする白いシール、出席簿
（６）　カメラ
（７）　配布用：今後の集まりの日程

開催した日：　　　年　　　月　　　日

集まって話しあう流れ

土曜日の 14：00 から 16：00 まで

13：45 頃　おやつを食べながら、だんだん集まる
14：00　司会者のあいさつ
・今日やることの紹介
・作業方法の説明（丸いシールの貼り方）
14：20　（１）シールを貼ろう！
（２）どの分野がうまくいったの？その理由は？
（３）どの分野がうまくいかなかったの？その理由は？
15：00　おやつ（２回目）
15：20　共通の目標をみつけ、協力しよう！
（４）今後の課題を書き出す
（５）今後の目標を決める
（６）改善方法を考え、お世話する人を選ぶ
16：00　次回の集まりの案内、片付け、解散

第１０回　自己評価の集まり３　「取組はうまくいっているか？」

開催した日：　　年　　月　　日

集まって話しあうこと

- なぜうまくいったか、なぜ失敗したか、いろいろな意見を集める
- みんなが協力して取り組めるよう、共通の目標をみつける

①うまくいった理由は？
②うまくいかなかった理由は？
③今後、うまくいきそう？
④今後、実現が難しいのはなぜ？

どのプリントを使うの？
プリント２５　取組はうまくいっているか？

誰が集まりに参加するの？
地域づくりに取り組む人たちと組織から１０人位

持ち物
（１）　集まり道具箱
（２）　おやつ、飲物
（３）　厚めの模造紙（5 枚以上）
（４）　プリント２５
（５）　名札にする白いシール、出席簿
（６）　カメラ
（７）　配布用：今後の集まりの日程

集まって話しあう流れ

土曜日の 14：00 から 16：00 まで

13：45 頃　おやつを食べながら、だんだん集まる
14：00　司会者のあいさつ
・どの取組について話し合うか説明
・今日やることの紹介
・作業方法の説明（プリント２５）
14：20　状況図をつくろう！
（1）うまくいった理由は？
（2）うまくいかなかった理由は？
（3）今後、うまくいきそう？
（4）今後、実現が難しいのはなぜ？
15：00　おやつ（２回目）
15：20　共通の目標をみつけ、協力しよう！
（5）うまくいったことに感謝する
（6）課題を見つけ、今後の目標を決める
（7）改善方法を考え、お世話してくれる人を見つける
16：00　次回の集まりの案内、片付け、解散

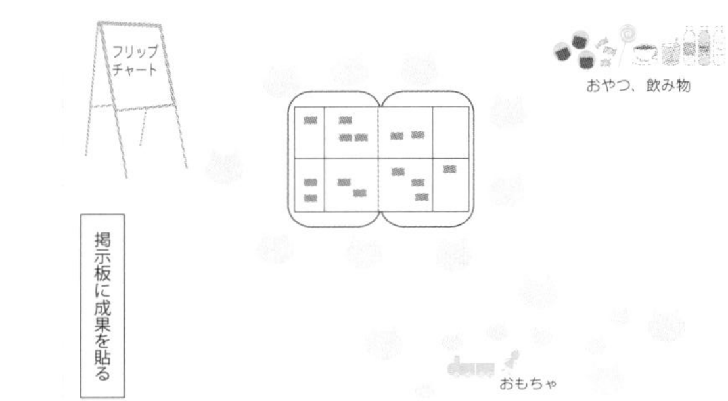

出席簿　　　開催した日：　　年　　月　　日（　）

名前	メールアドレス
名前	メールアドレス
名前	メールアドレス
名前	メールアドレス
名前	メールアドレス
名前	メールアドレス
名前	メールアドレス
名前	メールアドレス
名前	メールアドレス
名前	メールアドレス

資料集
5つのステップ

プリント8から25まで・図解⑤から⑨まで

ステップ1　見つめる

ステップ2　つくる

ステップ3　試す

ステップ4　広げる

ステップ5　見つめなおす

ステップ１　見つめる

解説：プリント８　今、取組を始めるか？ 潮目を読んで船出する

地域づくりには、タイミングが大切です。取組のアイデアが出てきたら、今が、その取組を始めるタイミングかどうかを、よく話しあいます。

①テーマごとにグループで座る

テーブルごとに、異なるテーマの取組に関して話しあいます。

司会者は、どのテーブルで、どのテーマを話しあうかを紹介します。参加者は、実際に取り組んでいる、または、取り組みたいテーマのテーブルに座ります。

②取組の「名称（タイトル）」を考える

プリント８に、実施を検討する取組の「名称（タイトル）」を記入します。

１つの取組につき、１枚のプリント８を使います。各テーブルでは、1 つのテーマに関することでも、複数の取組のアイデアが出るかもしれません。

③潮目を読む

それぞれの取組に関して、地域の「強み」と「弱み」、「好機」と「間の悪さ」について、それぞれのプリントに書き込みます。

「好機」を捉えて、取組を成功に導きます。どんなにすばらしい取組でも、タイミングの悪い時に始めると、うまくいかないものです。

◆「強み」

地元の人材や資金、資源、ノウハウ、技術など、取組の中で活かしたいと思うことを書きます。

◆「弱み」

地域に無いもの、克服したい課題について書きます。

プリント８：今、取組を始めるか？　潮目を読んで船出する　検討している取組の名称：＿＿＿＿＿＿＿＿

記入した日：　　年　　月　　日

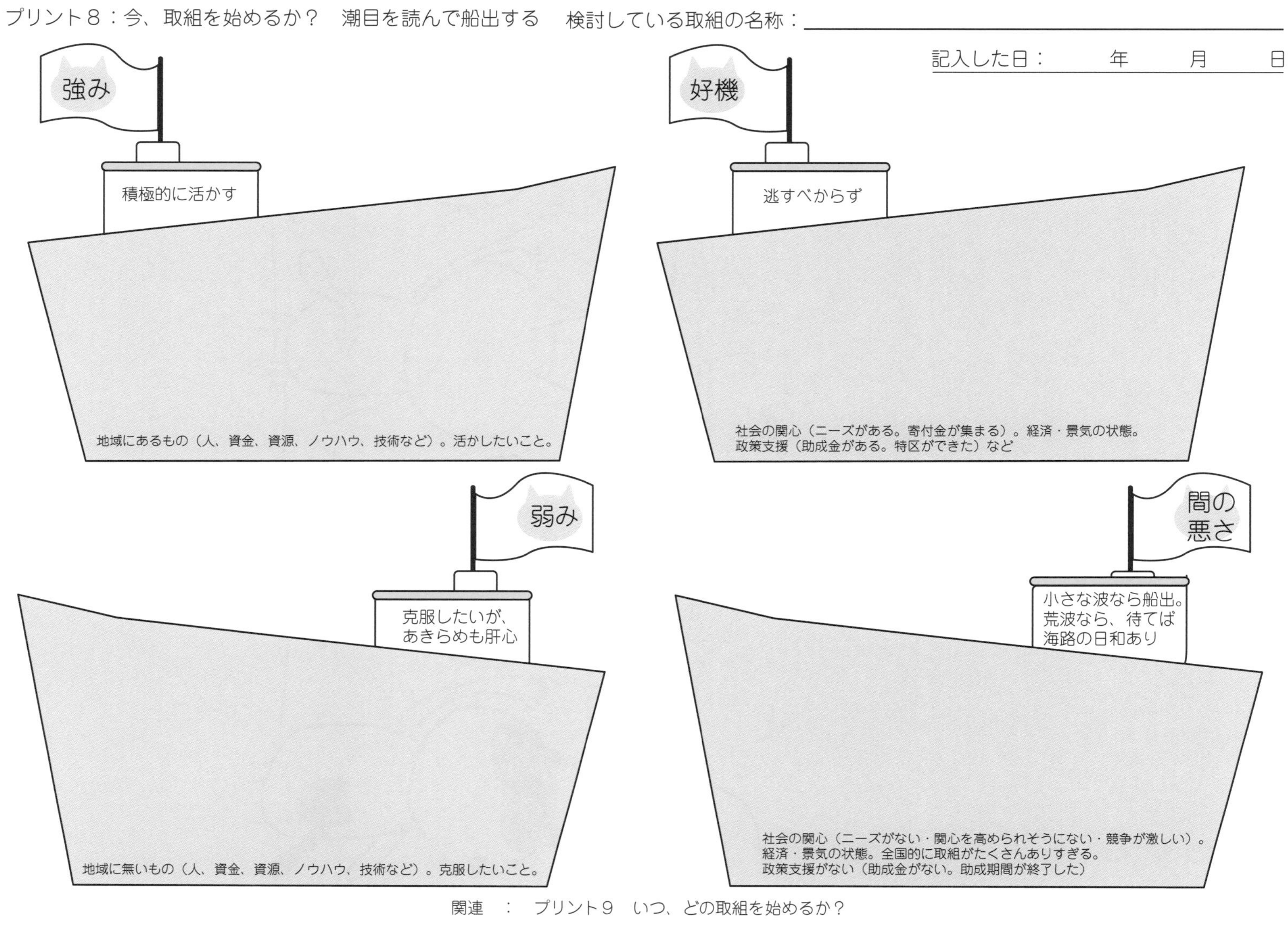
強み
積極的に活かす
地域にあるもの（人、資金、資源、ノウハウ、技術など）。活かしたいこと。
好機
逃すべからず
社会の関心（ニーズがある。寄付金が集まる）。経済・景気の状態。
政策支援（助成金がある。特区ができた）など
弱み
克服したいが、
あきらめも肝心
地域に無いもの（人、資金、資源、ノウハウ、技術など）。克服したいこと。
間の
悪さ
小さな波なら船出。
荒波なら、待てば
海路の日和あり
社会の関心（ニーズがない・関心を高められそうにない・競争が激しい）。
経済・景気の状態。全国的に取組がたくさんありすぎる。
政策支援がない（助成金がない。助成期間が終了した）

関連　：　プリント９　いつ、どの取組を始めるか？

C

◆**「好機」**

社会や政策が味方になってくれる時が、取組を始める好機です。

まず、社会の関心について書き込みます。

多くの人たちにメリットがあり、みんなが望む取組は、取組を実施するための資金が集まりやすいです。

一方、取組のメリットを受ける人たちが少なくても、多くの人たちが実施するのが重要と考える取組もあり、寄付金などが集まって実施できる場合もあります。

次に、経済や景気の状態を考慮し、気づいたことがあれば書き込みます。

さらに、補助金などの公的な支援、特区などでの新しい試みなど、気づいたことがあれば書き出します。

補助金があって、自治体や政府が支援してくれる取組は、今、始めるのがタイミングの良い取組です。

◆**「間の悪さ」**

社会の関心が低い、高められそうにない、ニーズがないなど、気づいたことがあれば書き出します。

または、社会の関心は高いが、他の地域やグループなどとの激しい競争が想定される場合も、書きとめておきます。

そのほか、取組を対象とした補助金が終了した際にも、「間が悪い」と判断してよいと思います。

上記に該当するのは、例えば、観光、地場産品の開発、地域ブランドづくりなどに関連した取組です。すでに、似たような取組が全国的に普及していて、新しく取組を始めても、世間の注目を集めることが難しい場合は、「間が悪い」と判断します。

解説：プリント９　いつ、どの取組を始めるか？

地域では、取り組みたい課題が、いくつもあると思います。
しかし、一度に、全てに取り組むことはできないかと思います。
そこで、タイミングのいい取組から、始めることをおすすめします。
追い風に乗って船を出発させるのが、取組を成功に導く鍵です。

【船出の順番を話しあう】

プリント８の結果を参考に、取組という船が、船出する順番を話し合います。
いつ船出するのが好ましいかを話しあいます。

➡関連 プリント８「今、取組を始めるか？ 潮目を読んで船出する」

⬇「すぐに始められそうな取組」

プリント９の一番上の段には､すぐに始められそうな取組の名称を記入します。
すぐに始められそうな取組とは、地域に「強み」があり、「好機」が巡ってきている取組のことです。
そのような取組は、地域の強みを活かして、地域の人たちが楽しんで実施できます。地域の人たちが成功体験を重ねて、自信を持てるようになります。

⬇「ゆっくり準備する取組」

プリント9の中央の段には､ゆっくり準備してから始める取組の名称を記入します。
地域の「弱み」を補強し、準備を整えるのに、ある程度の時間が必要な取組は、焦って始めないようにします。十分な準備期間をとり､心穏やかに取り組みます。

⬇「弱点を克服しながら、好機を待つ取組」

プリント９の一番下の段には、弱点を克服しながら、好機を待つ取組の名称を記入します。取組の理解者、協力者、資金が見つからず、「間が悪い」取組もあります。
そのような取組は、とりあえず保留にして、様子を見ます。
地域には弱点もありますが、弱点の克服にこだわりすぎないようにします。地域の弱点の克服よりも、むしろ、地域の強みを生かして実施できる取組を進めることが大切です。実現した取組が重なりあうと、いつか、地域づくりが飛躍する時が訪れます。

プリント９：いつ、どの取組を始めるか？

すぐに始められそうな取組 年 開始	取組名： メンバー：	取組名： メンバー：	取組名： メンバー：
ゆっくり準備する取組 年 開始	取組名： メンバー：	取組名： メンバー：	取組名： メンバー：
弱点を克服しながら好機を待つ取組 年頃 開始？	取組名： メンバー：	取組名： メンバー：	取組名： メンバー：

関連　：　プリント８　今、取組を始めるか？ 潮目を読んで船出する

記入した日：　　年　　月　　日

解説：プリント10　みんなで思い描く、地域の将来像

プリント4「イノベーション」では、さまざまな「地域の目標」を定めて、それらを達成するための創意工夫について話しあいました。

「地域の目標」とは、大きな目標です。

プリント10では、地域の人たちと組織が、共通に思い描いている目標を整理して、地域の将来像を探っていきます。

①プリント4で提案した「地域の目標」（プリント10の右側に書く）

地域のみんなが目指す「地域の目標」を書き出します。

いろいろな目標が集まりましたね。

②「地域の将来像」をイメージして文章にする（プリント10の左下に書く）

全ての目標を、一度にまとめて眺めてみます。「目標を達成すると、いったいどんな地域ができますか？」と、参加者に質問し、発言してもらいます。みんなで話し合いながら、イメージします。そのイメージが、みんなが思い描いている「地域の将来像」です。このイメージを文章にしてみます。

③みんなが望む「地域の将来像」のイメージを一言でまとめる（左上に書く）

「地域の将来像」について話しあい、キャッチコピーのようにまとめます。

ドイツの例「多様性と生活の質 –持続的に守り、一緒に使う–」
「すてきな風景 –共に守り、共に楽しむ–」
「自然、カラフル、健康」
「たくさん取り組み、率先して動き、ネットワークする」

司会者は、「この将来像を、いつも思い浮かべながら暮らしませんか」と、集まりの参加者に提案します。地域の人たちと組織が将来像をイメージし、協力しあい、将来像を実現していきます。

時がたつと、地域の将来像も変わります。地域の人たちと組織が思い描いている「地域の将来像」が変化した時は、新しい将来像を描きます。

プリント１０：みんなで思い描く、地域の将来像

地域の将来像：
みんなが望む、地域のイメージを一言で表すと？

このイメージを、いつも思い浮かべながら暮らしてみよう

地域の将来像を、文章にしてみると・・・

関連　：　プリント４　イノベーション　　図解②　イノベーション

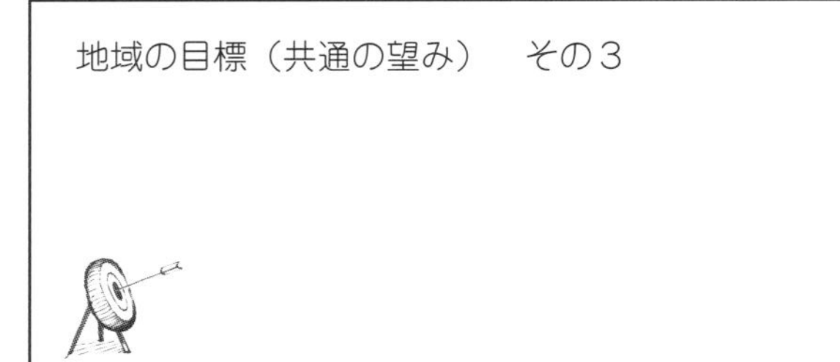

地域の目標（共通の望み）　その１

地域の目標（共通の望み）　その２

地域の目標（共通の望み）　その３

記入した日：　　年　　月　　日

ステップ 2　つくる

解説：プリント 11　**協議会のメンバー構成—分野グループ用—**

解説：図解⑤　**地域づくり協議会のメンバー構成（例）**

解説：図解⑥　**地域づくり協議会を設立する**

図解⑤と図解⑥を参考にしながら、協議会の全体構成について把握し、協議会におけるグループを編成していきます。

プリント 11「協議会のメンバー構成—分野グループ用—」では、協議会における 4 つの分野グループをつくります。全ての参加者が一緒に、どのような分野グループをつくったら良いかを話しあいます。

1）どのような分野に取り組むグループが必要か？

協議会には、全部で 4 つの分野グループをつくります。1 つの分野グループでは、2 つか、3 つの分野を組みあわせて担当します。

例：「暮らし・学び・助け合い」グループ
　　「環境・風景・インフラ」グループ、「環境と教育」グループ

【分野グループをつくるコツ】

例えば、「暮らし」だけではなく、「暮らし・学び・助け合い」など、分野を組あわせて分野グループをつくります。別の例では、「環境」だけでなく、「環境と観光」、「環境とモビリティー」、「環境と農林業」、「環境と遊び」、「環境と教育」、「環境と文化」、「環境とふるさと」、「環境と再生エネルギー」というように、分野グループをつくります。地域のさまざまな取組を思い浮かべて、どのような分野グループがあったらいいかを話しあいます。

分野を組みあわせてグループをつくる理由は、新しい発想が生まれやすくなる

からです。多様な視点をもって、地域づくりに取り組む協議会の体制をつくります。また、住民･公益･民間･行政というセクターの垣根を越えてグループを結成すると、地域の人たちと組織が協力しやすくなることも、もう一つのメリットです。

分野グループは、数年に一度、クラス替えのように再編成します。もし、分野グループが少ししかできなくても、気にしなくて大丈夫です。一度に、たくさんのグループをつくると、運営も大変です。

2）どの分野グループに入るか？

４つの分野グループが決まったら、参加者は、自らが参加したい分野グループのテーブルに移動して座ります。

全ての参加者が、希望する分野グループに入ります。どのグループも、住民・民間・公益・行政セクターに偏らないように、メンバーを集めます。

プリント 11 は、分野グループごとに１枚、全部で４枚を使います。プリント 11 には、分野グループのグループ名、メンバーの氏名と所属を書き込みます。

3）分野グループの代表者を選ぶ

分野グループでは､代表者を選びます。代表者は協議会の代表理事になります。代表者が、住民・公益・民間・行政のセクターに偏らないように、グループ間で調整して、バランスよく選びます。

例：「暮らし・学び・助け合い」グループの代表は、行政のごんさん
「地域らしさ・多様な仕事」グループの代表は、民間のなおさん
「環境・風景・インフラ」グループの代表は、公益のあきさん
「モビリティ・交流」グループの代表は、住民のゆきさん

プリント 11 には、分野のグループから選ばれた代表理事の氏名と所属を書き込み、どのセクターに所属するかチェックを入れます。

司会者は、代表理事が住民から１人、公益から１人、民間から１人、行政から１人、それぞれ選ばれたかを確認します。この４人が、分野グループから選ばれた協議会の代表理事として就任します。

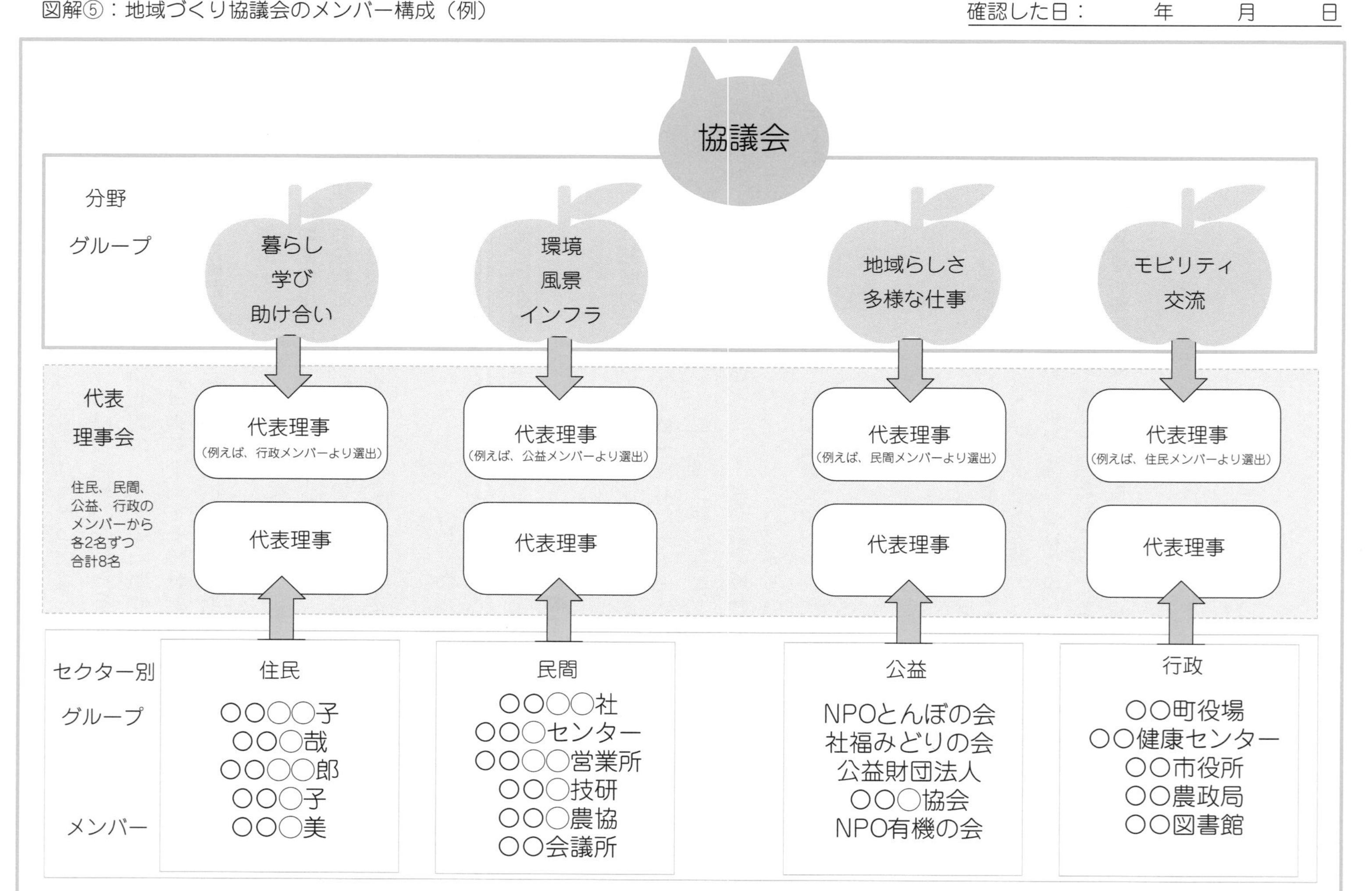
図解⑤：地域づくり協議会のメンバー構成（例）
確認した日：　年　月　日
協議会
分野
グループ
暮らし 学び 助け合い
環境 風景 インフラ
地域らしさ 多様な仕事
モビリティ 交流
代表
理事会
住民、民間、公益、行政のメンバーから各2名ずつ合計8名
代表理事（例えば、行政メンバーより選出）
代表理事（例えば、公益メンバーより選出）
代表理事（例えば、民間メンバーより選出）
代表理事（例えば、住民メンバーより選出）
代表理事
代表理事
代表理事
代表理事
セクター別
グループ
メンバー
住民
○○○○子
○○○哉
○○○○郎
○○○子
○○○美
民間
○○○○社
○○○センター
○○○○営業所
○○○技研
○○○農協
○○会議所
公益
NPOとんぼの会
社福みどりの会
公益財団法人
○○○協会
NPO有機の会
行政
○○町役場
○○健康センター
○○市役所
○○農政局
○○図書館
関連　：　プリント１１　地域づくり協議会のメンバー構成　ー分野グループ用ー　プリント１２　地域づくり協議会のメンバー構成　ーセクター別グループ用ー

図解⑥：地域づくり協議会を設立する

確認した日：　　　年　　　月　　　日

プリント１１　協議会のメンバー構成　－分野グループ用－

①　どのような分野に取り組むグループが必要か？
２つか、３つの分野を組みあわせて、１つのグループをつくります。
協議会に４つの分野グループをつくります。
例：「暮らし・学び・助け合い」
「環境・風景・インフラ」
「地域らしさ・多様な仕事」
「モビリティ・交流」

②　どの分野グループに入るか？
集まりの参加者全員が、希望する分野グループに入ります。
住民・民間・公益・行政セクターの人々が、どのグループにも混ざっているようにします。

③　分野グループの代表者を選ぶ
分野グループごとに代表者を選びます。
全てのセクターの代表者がいるように選びます。
例：「暮らし・学び・助け合い」行政の○○さん
「環境・風景・インフラ」公益の○○さん
「地域らしさ・多様な仕事」民間の○○さん
「モビリティ・交流」住民の○○さん

関連　：　プリント２　地元の取組を集めよう！

資料：VNLR（自然・生物圏ロエン）を一部参考。

関連　：　プリント１３　協議会と代表理事会の構成

図解：地域づくり協議会のメンバー構成（例）

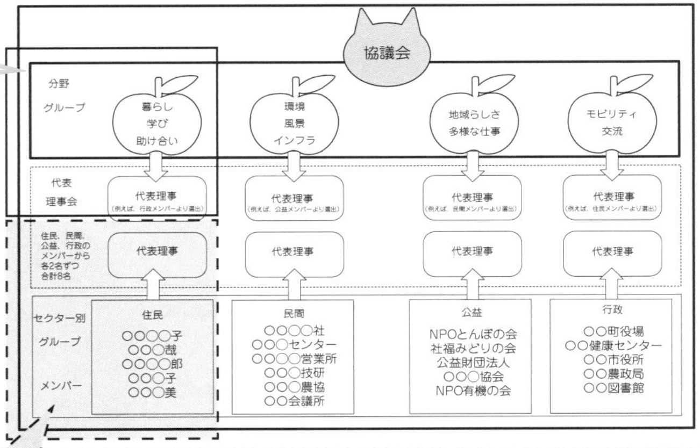

協議会
分野グループ
暮らし 学び 助け合い
環境 風景 インフラ
地域らしさ 多様な仕事
モビリティ 交流
代表理事会
代表理事（例えば、行政メンバーより選出）
代表理事（例えば、公益メンバーより選出）
代表理事（例えば、民間メンバーより選出）
代表理事（例えば、住民メンバーより選出）
住民、民間、公益、行政のメンバーから各2名ずつ合計8名
代表理事
代表理事
代表理事
代表理事
セクター別グループ メンバー
住民
○○○○子
○○○哉
○○○○郎
○○○子
○○○美
民間
○○○○社
○○○センター
○○○○営業所
○○○技研
○○○農協
○○会議所
公益
NPOとんぼの会
社福みどりの会
公益財団法人
○○○協会
NPO有機の会
行政
○○町役場
○○健康センター
○○市役所
○○農政局
○○図書館

プリント１２　協議会のメンバー構成　－セクター別グループ用－

協議会では、住民・民間・公益・行政セクターの人々と組織が連携して、地域づくりに取り組みます。
集まりの参加者全員が、４つのセクター別グループに分かれて、代表者を選びます。
・・・・・
これで、分野グループの代表者が４人、セクター別グループの代表者が４人、全部で８人が選ばれました。住民から２人、民間から２人、公益から２人、行政から２人、代表者が選ばれたことを確認します。
この８人が、協議会の代表理事になります。
８人の代表理事は、参加者のみなさんに、どの分野グループ、どのセクター別グループの代表者に選ばれたか伝え、一言、抱負を述べます。
最後に、協議会の名前を決めます！

関連　：　プリント３　協議会メンバーをさがそう！

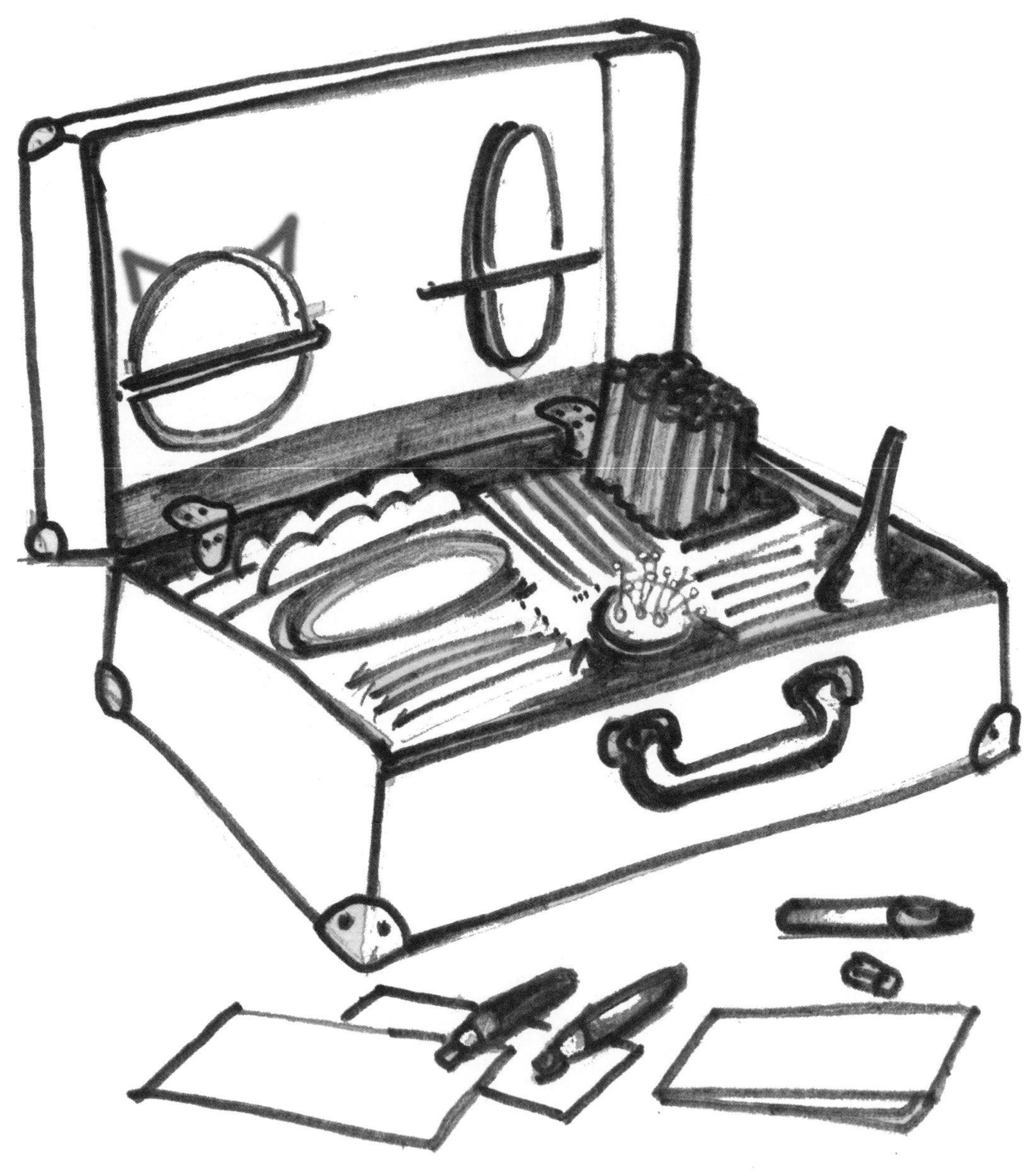

プリント１１　協議会のメンバー構成　－分野グループ用－

記入した日：　　年　　月　　日

氏名＿＿＿＿＿＿＿＿＿＿
（所属　　　　　　　　　）

氏名＿＿＿＿＿＿＿＿＿＿
（所属　　　　　　　　　）

氏名＿＿＿＿＿＿＿＿＿＿
（所属　　　　　　　　　）

氏名＿＿＿＿＿＿＿＿＿＿
（所属　　　　　　　　　）

氏名＿＿＿＿＿＿＿＿＿＿
（所属　　　　　　　　　）

氏名＿＿＿＿＿＿＿＿＿＿
（所属　　　　　　　　　）

氏名＿＿＿＿＿＿＿＿＿＿
（所属　　　　　　　　　）

氏名＿＿＿＿＿＿＿＿＿＿
（所属　　　　　　　　　）

氏名＿＿＿＿＿＿＿＿＿＿
（所属　　　　　　　　　）

氏名＿＿＿＿＿＿＿＿＿＿
（所属　　　　　　　　　）

分野グループ
グループ名：

代表理事
氏名：
所属：
＊ セクターをチェックしよう！ □住民　□民間　□公益　□行政

＊　４つの分野グループは、各グループ1名の代表理事を選出します。分野グループの代表理事を選ぶ際は、住民、民間、公益、行政のセクターから均等に代表理事が選出されるように、分野グループ間で調整します。（例えば、2つの分野グループが、いずれも住民セクターの代表理事を選ぶことは避ける）

関連　：　プリント１２　協議会のメンバー構成　－セクター別グループ用－　　プリント１３　協議会と代表理事会の構成

解説：プリント 12　協議会のメンバー構成―セクター別グループ用―

1）どのようなセクター別グループをつくるの？

協議会に、次の 4 つのセクター別グループをつくります。

・住民セクター
・民間セクター
・公益セクター
・行政セクター

セクター別グループの役割は、縦割りを強みとしながら、新しいアイデアを実現するうえで、さまざまな障壁を取り除くことです。

2）どのセクター別グループに入るか？

全ての参加者が、いずれかのセクター別グループに入ります。
誰が、どのグループに入るのかは、プリント 3 を参考に考えてください。
参加者は、どの立場で協議会に参加しているか、自ら決めます。
同じ人が、複数のセクター別グループに入ることは避けます。
➡関連　プリント 3「協議会メンバーをさがそう！」

3）セクター別グループの代表者を選ぶ

テーブルごとに、セクター別グループのメンバーが集まって座ります。
セクター別グループでは、プリント 12 を使って代表理事を選出します。
プリント 12 には、セクター別グループのメンバーの氏名と所属、代表理事の氏名と所属を書き込みます。

プリント１２　協議会のメンバー構成　－セクター別グループ用－

記入した日：　　年　　月　　日

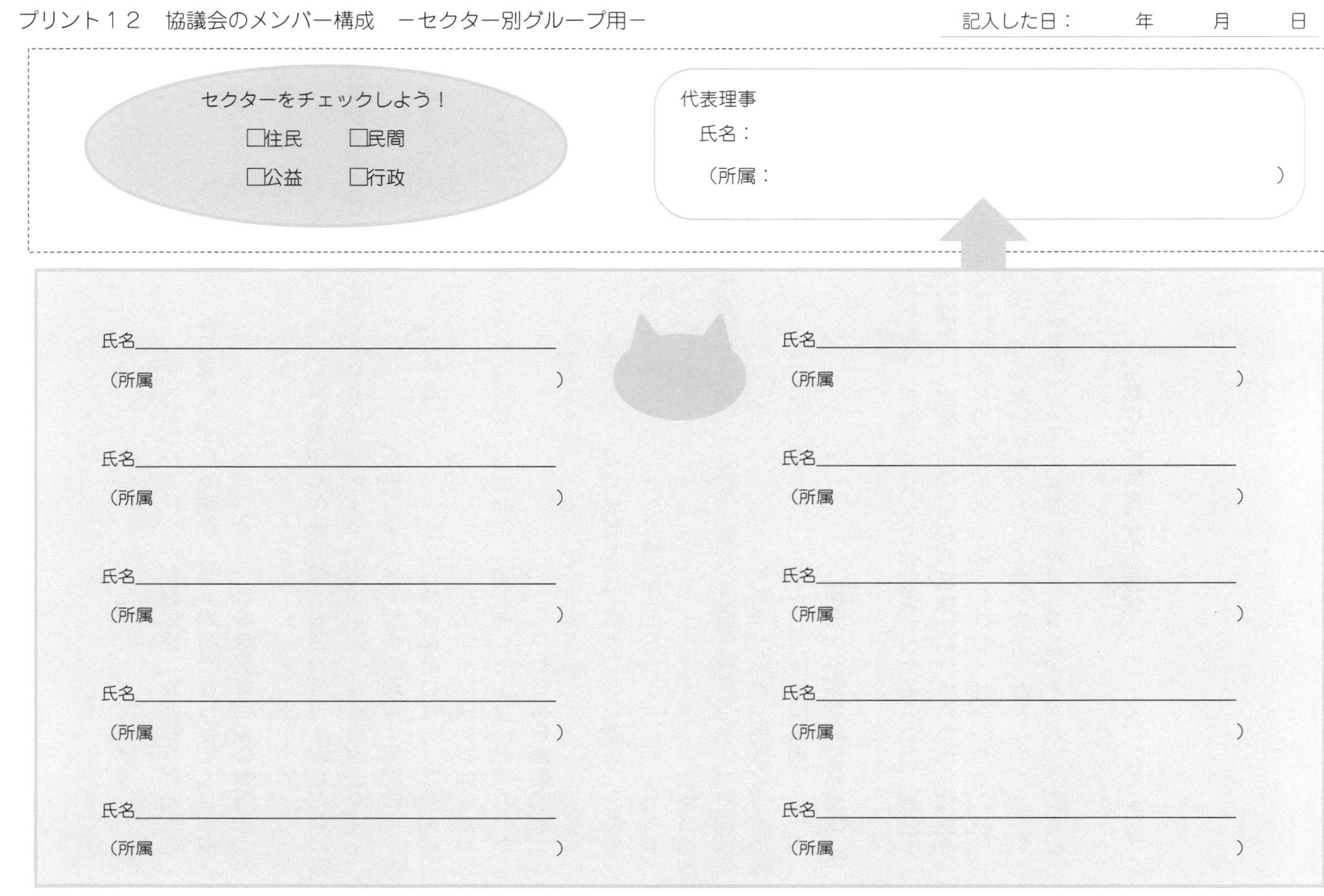

関連　：　プリント１１　協議会のメンバー構成　－分野グループ用－　　プリント１３　協議会と代表理事会の構成

解説：プリント 13　協議会と代表理事会の構成

2 種類のプリントを使い、合計で 8 人の協議会の代表理事を選出しました。
プリント 11 では、分野グループから代表理事を 4 人選びました。
プリント 12 では、セクター別グループから代表理事を 4 人選びました。
➡関連　プリント 11「協議会のメンバー構成　–分野グループ用–」
➡関連　プリント 12「協議会のメンバー構成　–セクター別グループ用–」

1）協議会の全体構成を示す

全ての代表理事を選出したところで、代表理事は、プリント 13「協議会と代表理事会の構成」を記入します。

分野グループの代表理事 4 人が、グループ名、代表理事の氏名と所属を書き込みます。

セクター別グループの代表理事 4 人も、氏名と所属を書き込みます。

これで、協議会の全体構成が示せました。

2）代表理事のあいさつ

プリント 13 に記入できたら、司会者は、代表理事を引き受けてくれた人たちにお礼の言葉を述べます。

司会者は、8 人の代表理事に、一人、一人、声をかけて、1 人 3 分位の持ち時間で、自己紹介と抱負を述べてもらいます。

8 人の代表理事は、どの分野グループ、どのセクター別グループの代表理事に選ばれたかを参加者に伝え、自己紹介と抱負を述べます。

3）協議会の名前を決める

最後に、時間に余裕があれば、協議会の名前を話しあって決めます。

時間がない場合は、別の機会をつくって決めます。

プリント１３　協議会と代表理事会の構成

記入した日：　　年　　月　　日

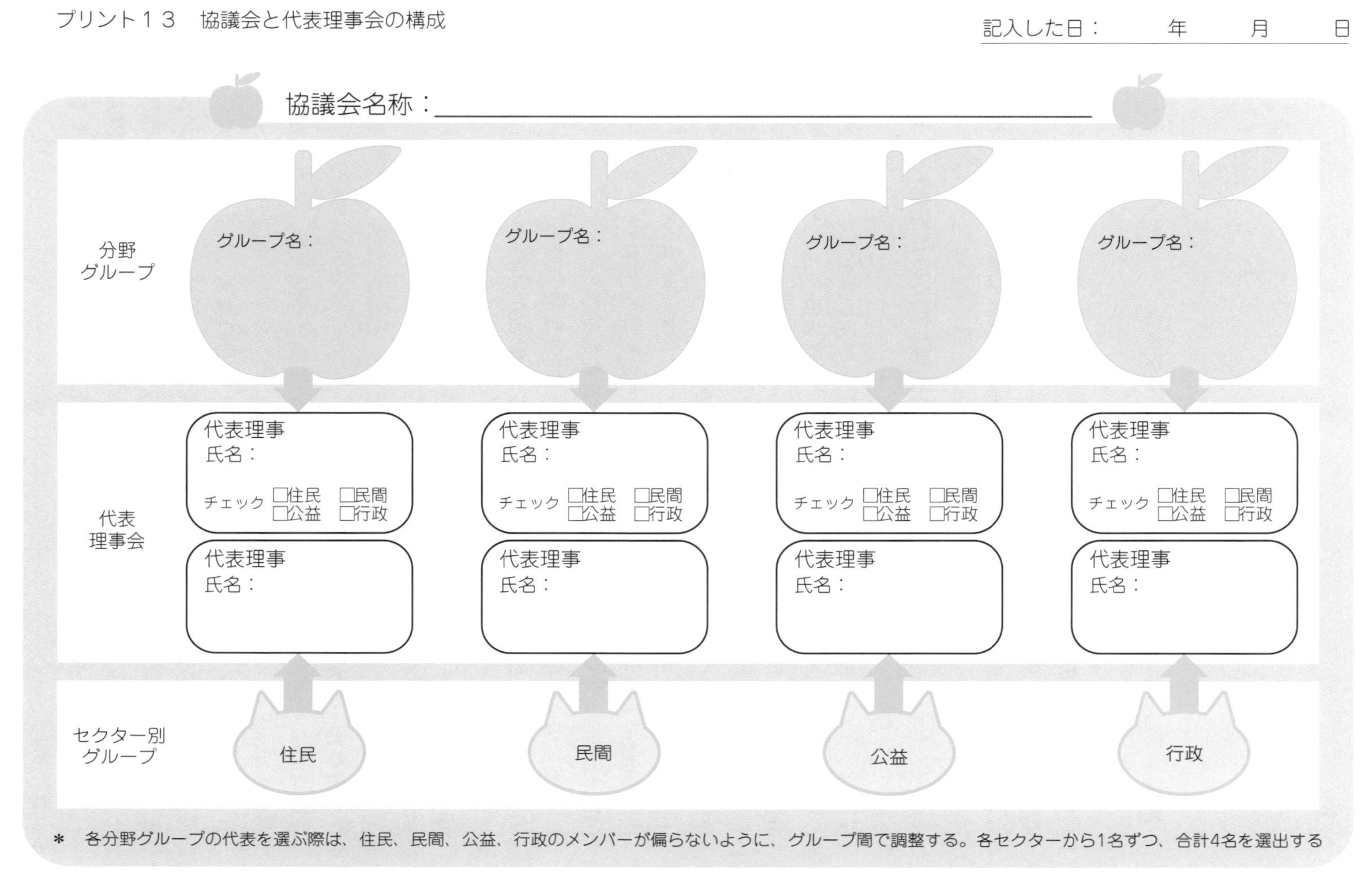

＊　各分野グループの代表を選ぶ際は、住民、民間、公益、行政のメンバーが偏らないように、グループ間で調整する。各セクターから1名ずつ、合計4名を選出する

関連　：　プリント１１　協議会のメンバー構成　－分野グループ用－　　プリント１２　協議会のメンバー構成　－セクター別グループ用－

解説：プリント 14a　分野グループの役割を決める

1）分野グループの役割を絞り込む

協議会を円滑に運営するために、分野グループの役割を明確にします。

もし、下記を決めなければ、協議会の話しあいでは、混乱と摩擦が生じます。

(a) から (f) のどの役割を、分野グループの役割とするのかを話しあって決めます。

役割は、1つでも、複数あっても、どちらでもかまいません。どの役割にも人手が必要なため、無理なく実施できる範囲で、役割を担うことが大切です。

分野グループ間で意見が分かれたら、グループごとに決めてもかまいません。

(a)　分野グループが、自ら、地域づくりの取組を行う
(b)　地域の人たちや組織が取組を行う際、アドバイスする
(c)　地域の人たちや組織が取組を行う際、作業を補助する
(d)　地域の人たちや組織が取組を行う際、資金援助する
(e)　地域の人たちや組織が取組を行う際、補助金を見つける
(f)　地域の人たちや組織が取組を行うように、働きかける

協議会のメンバーが増えてきたり、減ってきたりしたタイミングで、いつでも役割を見なおします。

2）分野グループが集まる頻度を決める

そのほかに、分野グループが話しあいのために集まる頻度を、おおまかに決めておきます。

ドイツの LAG における筆者らの経験では、定例の集まりは、3か月から半年に1回くらいがいいようです。定例の集まりを頻繁に設けると、欠席者が多くなります。一方、上記で決めた分野グループの役割を果たすために、具体的な議題がたくさんある時には、頻繁に招集しても、多くの人たちが積極的に参加します。

ドイツでは、参加者は地域貢献に労を惜しまず、一方、形だけの集まりを避けるようです。

プリント 14ａ　分野グループの役割を決める　　開催した日：　　年　　月　　日

分野グループ

分野グループが果たす役割を決めよう！
（１つでも、複数でもかまわない）

- □ (a) 分野グループが、自ら、地域づくりの取組を行う
- □ (b) 地域の人々や組織が取組を行う際、アドバイスする
- □ (c) 地域の人々や組織が取組を行う際、作業を補助する
- □ (d) 地域の人々や組織が取組を行う際、資金援助する
- □ (e) 地域の人々や組織が取組を行う際、補助金を見つける
- □ (f) 地域の人々や組織が取組を行うように、働きかける

打ち合わせの頻度：　　　回 / 月　または　　　回 / 年

解説：プリント 14b　協議会運営の役割を分担する

解説：図解⑦　協議会運営の役割分担

1）協議会の役割と仕事を把握する

協議会の役割と仕事は、主に①から⑥までの部門があります。
①「地域の人々と組織の連携づくり」部門
②「助成事業の把握と応募・申請のアドバイス」部門
③「取組の進捗状況の把握と協力」部門
④「広報活動」部門
⑤「協議会の運営・地域内外の会議への出席」部門
⑥「協議会の経営・事務」部門

➡関連　図解⑨「ドイツのリージョナル・マネージャーの 1 週間」を参考：
①から⑥までの詳しい内容を確認します。
➡関連　図解⑦「協議会運営の役割分担」を参考：
地域づくりの調整役（リージョナル・マネージメント）について確認します。

2）役割分担する

プリント 14b を使って、代表理事、協議会メンバー、リージョナル・マネージャー、アシスタントなど、協議会に関わる全ての人たちと組織が、協議会運営の役割を分担します。忙しい時は、お互いに補助します。

3）リージョナル・マネージャーを雇用・委託する

協議会の役割や仕事は、関係者がボランティアで担います。しかし、その役割や仕事はとても多く、各自の負担は多大です。また、協議会が地域づくりの調整役（リージョナル・マネージメント）を十分に果たせない状況も生じます。

そこで、ぜひとも、プロフェッショナルなリージョナル・マネージャーとアシスタントの力を借りることをおすすめします。

ドイツの LAG は、NPO のような法人を設立し、リージョナル・マネージャーとアシスタントを雇用または業務委託しています。公的な支援、地域内外の企業や財団法人からの寄付金など、継続的な資金の確保を試みています。

プリント１４b　協議会運営の役割を分担する

開催した日：　　年　　月　　日

協議会の運営全般

「協議会の運営全般」に関する仕事をみんなで役割分担しよう！

①「地域の人々と組織の連携づくり」部門

・住民、NPO、組合、企業等を訪問し、地域づくりの取組を見つける
・取組と取組を結びあわせ、地域の人々や組織の協力関係をつくる

担当する人や組織の名前：

②「助成事業の把握と応募・申請のアドバイス」部門

・国・県・市町村の助成事業、財団法人等の支援について情報収集する
・地域の人々や組織が、助成事業等に応募する補助をする

担当する人や組織の名前：

③「取組の進捗状況の把握と協力」部門

・地域づくりの取組の担い手の話を聞き、アドバイスや補助をする
・取組に関わる人々の不安を取り除く

担当する人や組織の名前：

④「広報活動」部門

・行事で協議会の紹介コーナを運営する（交流、取組紹介、協議会の PR）
・ホームページや SNS を運営する。市町村の広報や新聞に投稿する。

担当する人や組織の名前：

⑤「協議会の運営・地域内外の会議への出席」部門

・代表理事会の準備・運営・記録を担う（4 週間から 6 週間ごとに開催）
・総会の企画・運営・記録を担う（年 1 回開催）
・地域内外の会議に出席する

担当する人や組織の名前：

⑥「協議会の経営・事務」部門

・経理、税務を担う
・事務を担う
・スポンサーを探す

担当する人や組織の名前：

関連：図解⑦　協議会運営の役割分担

【協議会を円滑に運営するコツ】

①希望する取組は、自ら手がける

協議会を設立する際には、協議会は地域づくりの取組のリクエストを受けつけていないことを、地域の人たちや組織に伝えておきます。誰かが、協議会に取組をして欲しいとリクエストしてきたら、協議会は辞退します。

地域づくりの取組を希望する人には、一緒に作業してくれる仲間を見つけて、自ら取組を実施してもらいます。

②たくさんの人たちが協議会を運営する

協議会は、協議会メンバー以外にも、地域の人たちと組織に広く声がけして、一人でも多くの人に協議会運営を役割分担してもらいます。地域の人たちと組織は、一人一人の負担が小さく、誰かがいつでも代わってくれる状況下では、安心して役割分担してくれます。

③リージョナル・マネージャーとアシスタントはコーディネートする

リージョナル・マネージャーとアシスタントは、地域の人たちと組織の連携を促すコーディネーターです。地域づくりを成功させるためには、コーディネートが欠かせません。その業務は多岐にわたり、煩雑ですが、人件費がかかるので、人員は限られます。両者は、主にコーディネート業務を役割分担します。

④協議会に上下関係はない

協議会では、リージョナル・マネージャーとアシスタントも含めて、全ての人たちが平等です。協議会に関わる人たちは、自立して、多くの場面で自ら判断し、役割を果たします。

協議会の中で、上下関係が生じると、さまざまな人たちの自由な発言が難しくなります。すると、話しあいは形だけのものになり、取組の実施に支障が出たり、取組の質が低下したりします。協議会では、上下関係が生じないように気をつけます。

協議会では、上司と部下という関係は一切ありません。代表理事は、リージョナル・マネージャーとアシスタントの上司でも、各グループのメンバーに指示を出す人でもありません。

➡関連プリント　23 a・23b「がっかりな協議会事典」

図解⑦：協議会運営の役割分担

確認した日：　　年　　月　　日

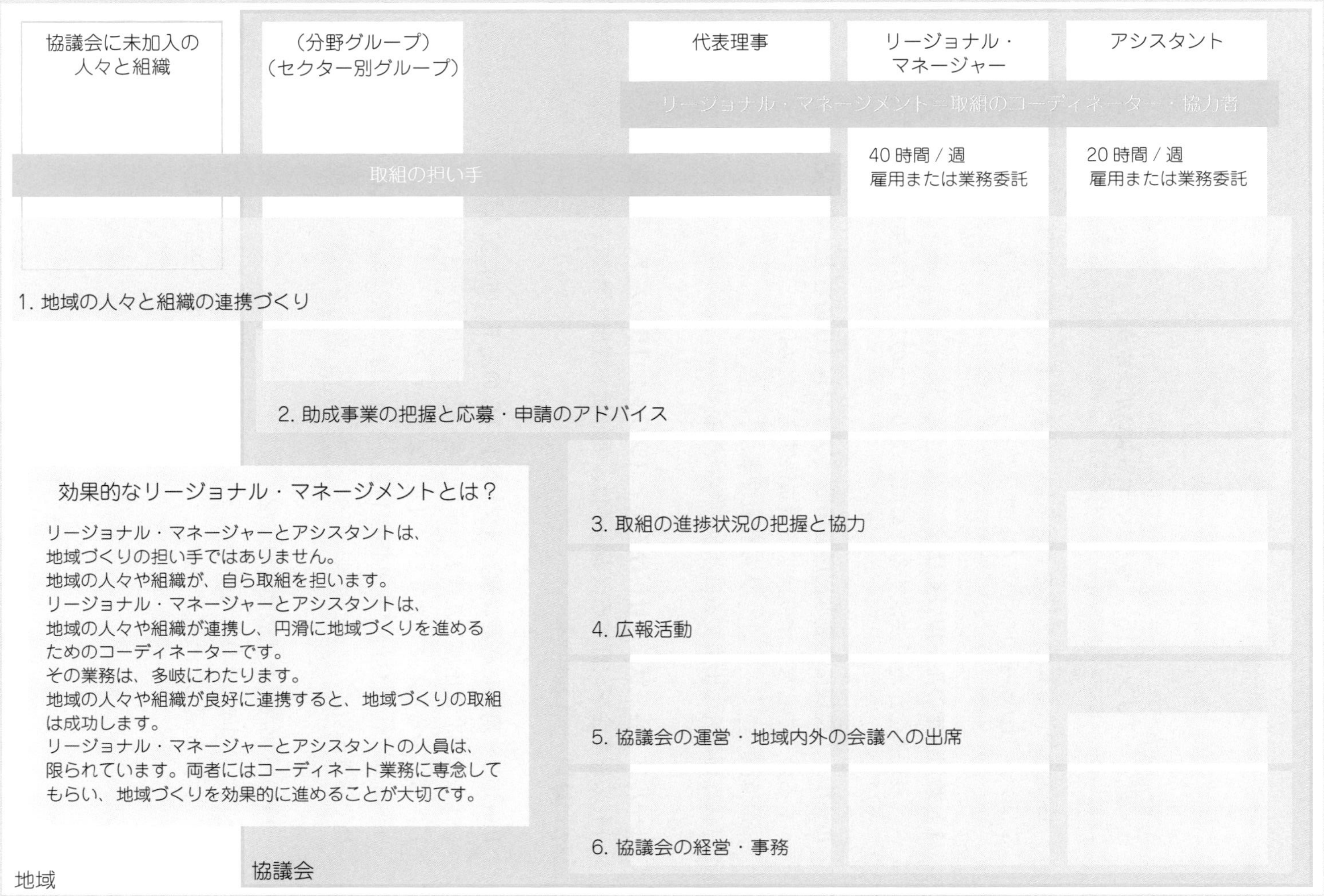

協議会に未加入の人々と組織

（分野グループ）（セクター別グループ）

代表理事

リージョナル・マネージャー

アシスタント

リージョナル・マネージメント＝取組のコーディネーター・協力者

40時間 / 週
雇用または業務委託

20時間 / 週
雇用または業務委託

取組の担い手

1. 地域の人々と組織の連携づくり

2. 助成事業の把握と応募・申請のアドバイス

3. 取組の進捗状況の把握と協力

4. 広報活動

5. 協議会の運営・地域内外の会議への出席

6. 協議会の経営・事務

効果的なリージョナル・マネージメントとは？

リージョナル・マネージャーとアシスタントは、
地域づくりの担い手ではありません。
地域の人々や組織が、自ら取組を担います。
リージョナル・マネージャーとアシスタントは、
地域の人々や組織が連携し、円滑に地域づくりを進める
ためのコーディネーターです。
その業務は、多岐にわたります。
地域の人々や組織が良好に連携すると、地域づくりの取組
は成功します。
リージョナル・マネージャーとアシスタントの人員は、
限られています。両者にはコーディネート業務に専念して
もらい、地域づくりを効果的に進めることが大切です。

地域

協議会

関連　：　プリント１４b　協議会運営の役割を分担する　　図解⑨　ドイツのリージョナル・マネージャーの１週間（例）

解説：プリント 15　やるか、やらないか決める

協議会が、なにかを決める時には、代表理事会を開きます。代表理事会では、プリント 15「やるか、やらないか決める」を使い、話しあって決めます。

1）意思決定のルールづくり

代表理事会が意思決定するために、次の 3 つのルールを決めておきます。

ルール 1：議決に必要な出席者の数（プリント 15 の右上、②に記入）

やるか、やらないか投票する（議決する）ためには、
最低限、＿＿＿＿＿＿人の代表理事が、
代表理事会に出席することが必要である。

ルール 2：委任状を受け付けるか？（プリント 15 の左下、⑤に記入）

代表理事会を欠席する代表理事は、委任状を提出できる。
□はい　□いいえ

ルール 3：可決に必要な票数（プリント 15 の左下、⑤に記入）

代表理事会に出席した代表理事のうち、どれだけの割合の人が「やる」と投票したら、やることにしますか（可決しますか）？

例えば、出席した代表理事の 1/2、もしくは、2/3 など、具体的な数字を決めておきます。

➡ □ 出席した代表理事の 1/2
□ 出席した代表理事の 2/3
□ 出席した代表理事の＿＿＿＿＿＿＿（具体的な数字を記入）

プリント１５　やるか、やらないか決める

開催した日：　　年　　月　　日

① 話しあって決めること（概要）

______

______

______

______

提案した人

氏名 ______

所属 ______

② 代表理事会の出席者の氏名

______

______

______

_____人以上の代表理事が、代表理事会に出席した場合、議決できる。

□　本日の出席者は ______ 人なので、議決できる（決められる）。

やる・やらないの理由・意見

③ 分野グループ

______グループ　______グループ　______グループ　______グループ

④ セクター別グループ

住民　民間　公益　行政

⑤ 投票の結果　□やる　□やらない　● 結果発表！

やる ______票　やらない ______票　棄権する（投票しない）______票

なお、協議会で議決に必要な票数は、参加者の ___/___、______ 票である。

委任状を ______ 通、受けつけた。

⑥ やることになった / やらないことになった理由

______

______

______

記録係：氏名 ______

関連：投票用紙

２）やるか、やらないか、決める時の手順

司会者と記録係を決めます。司会者は、代表理事会でプリント 15 を配布します。①から⑥までの順に話しあいを進めて、意思決定します。

①話しあって決めることを確認（プリント 15 の左上）

なにを決めるのか、議題の提案者が概要を説明します。

②議決できるか確認（同・右上）

代表理事の出席者数、委任状数を確認し、議決できるかルールを確認します。

③・④代表理事が理由や意見を述べて、話しあう（同・中央）

全ての分野グループとセクター別グループの代表理事が順番に、「なぜ、やった方がいいのか」、「なぜ、やらない方がいいのか」、理由や意見を述べます。

○投票する（投票用紙を使う）

司会者が代表理事に「投票用紙」を配ります。代表理事は無記名で投票します。司会者が投票用紙を回収し、「やる」、「やらない」、「棄権する（投票しない）」の票数を集計します。

⑤投票の結果を確認し、発表する（同・左下）

司会者は「議決しました / 議決しませんでした」と投票結果を発表します。

もし、誰かが反論したら、わだかまりが残らないよう、再度、話しあいます。

⑥やることになった／やらないことになった理由を記録する（同・右下）

記録係は、議決直後に、代表理事会としての意見をその場で確認し、「やる」もしくは「やらない」ことに決まった、主な理由を記録します。

後日：話しあいの結果を地域の人たちに公表する

記入したプリント 15 は、地域の人たちと組織に協議の結果を知ってもらうため、スキャンして、協議会のホームページ等にアップし、協議会メンバーにメールで送ります。記入したプリント 15 は、議決の記録として協議会で保管します。

投票用紙

投票用紙

□やる　□やらない　□棄権する（投票しない）

投票用紙

□やる　□やらない　□棄権する（投票しない）

投票用紙

□やる　□やらない　□棄権する（投票しない）

投票用紙

□やる　□やらない　□棄権する（投票しない）

投票用紙

□やる　□やらない　□棄権する（投票しない）

投票用紙

□やる　□やらない　□棄権する（投票しない）

投票用紙

□やる　□やらない　□棄権する（投票しない）

投票用紙

□やる　□やらない　□棄権する（投票しない）

関連：プリント１５　やるか、やらないか決める

できれば A3 サイズ。8 つに切りはなす。

解説：プリント 16　リージョナル・マネージャーの人材像とは？

リージョナル・マネージャーには、どのような人がむいているのでしょうか。ドイツのリージョナル・マネージャーを参考に、プリント 16「リージョナル・マネージャーの人材像とは？」をつくりました。

協議会が設立されて、リージョナル・マネージャーを選ぶ際には、みなさんの地域にどのような人がむいているか、プリントを使って話しあってください。

1）リージョナル・マネージャーの役割、むいている人となり

役割　その１：地域の人たちや組織の取組をサポートする（左上のりんご）

リージョナル・マネージャーは、地域の人たちと組織が意見交換できるように、多くの話しあいの場を設け、話しあいの司会と進行を担います。

話しあって決めたことは、地域の人たちと組織が取り組みます。リージョナル・マネージャーは、取組が円滑に進むよう、地域の人たちと組織の連携を促します。

◆リージョナル・マネージャーの人となり　その１

・情に厚い
・人の役に立つのが好き
・好奇心がある
・謙虚である
・他人に仕事をまかせられる

プリント１６：リージョナル・マネージャーの人材像とは？

記入した日：　　年　　月　　日

リージョナル・マネージャーの人となり

地域の人たちや組織の取組をサポートするために・・・

- □ 情に厚い
- □ 人の役に立つのが好き
- □ 好奇心がある
- □ 謙虚である
- □ 他人に仕事をまかせられる

地域の人たちや組織間の摩擦を許容するために・・・

- □ 誰にでも平等で、差別しない
- □ いろいろなことを知っている
- □ 冷静に判断できる
- □ 断り上手
- □ 細かいことにこだわらない

軽やかに働き、良く休む

- □ 文章を書くのが好き
- □ 絵を描くのが好き
- □ 気分の切り替えが早い
- □ 仕事と生活の線引きができる
- □ 体力がある

専門分野
なんでもいいよ

建築　地理　経済
都市計画　農業　経営
ランドスケープ計画　林業　社会
生物、エコロジー　政治　芸術
環境　法律　など

地域らしさを
大事にしてくれる人

過去の職業
なんでもいいよ

企業　研究　コンサルティング
行政　福祉　設計事務所
政治　観光　自営業
教育　など

＿＿＿＿＿＿＿＿するために・・・

- □
- □

関連：図解⑨　ドイツのリージョナル・マネージャーの１週間（例）

役割　その２：地域の人たちや組織間の摩擦を許容する（真ん中のりんご）

地域の人たちと組織の意見が異なり、話しあいがうまく進まないことがあります。多くの場合、意見の食い違いは解消しません。それぞれに立場が違い、価値観が違うので、仕方のないことです。

意見の食い違いが解消しないままでも、地域の人たちと組織は協力し、地域づくりに取り組むことができます。むしろ、それが協議会の自然な姿です。

地域の人たちと組織は、話しあいを重ねるうちに、自分の意見の一部が認められ、一部には妥協が必要なことに慣れていきます。

リージョナル・マネージャーが中立的に、どのような立場の人や組織の気持ちにも我慢強く寄り添うと、地域の人たちと組織は協力的になります。

◆リージョナル・マネージャーの人となり　その２

・誰にでも平等で、差別しない
・いろいろなことを知っている
・冷静に判断できる
・断り上手
・細かいことにこだわらない

役割　その３：軽やかに働き、よく休む（右上のりんご）

忙しいリージョナル・マネージャーは、地域の人たちと組織に連絡することが多く、また、すばやい広報活動が求められます。文章が得意な人は、日々の業務を円滑にこなせます。また、絵が得意な人は、話しあいの場面で、図やイラストを描いて、みんなの意見をまとめることができます。

リージョナル・マネージャーには、ある程度の業務をやり残しても、働きすぎないことが求められます。地域づくりの課題は、解決しても、解決しても、尽きることなく新たに発生します。それは仕方がないと割り切って、食事や運動で気分転換し、体力を維持できる人が、リージョナル・マネージャーにはむいています。業務を終えたら、気持ちをさっと切り替える「無視力」が必要です。日々、業務と人々のいさかいごとに忙殺されると、メンタルの不調をきたします。

◆リージョナル・マネージャーの人となり　その３

・文章を書くのが好き
・絵を描くのが好き
・気分の切り替えが早い
・仕事と生活の線引きができる
・体力がある

リージョナル・マネージャーの専門分野（左下・右下のりんご）

ドイツでは、リージョナル・マネージャーが、特定の分野の専門家ではなく、広い知識のあるジェネラリストとして育成されています。例えば、筆者が修了したカッセル大学大学院「持続可能な地域発展コース」では、教授陣だけでなく、ヘッセン州にあるLEADER地域のリージョナル・マネージャーさんたちも、教育に関わっていました。

リージョナル・マネージャーさんたちの専門分野を尋ねると、経営学、農学、林学、地理学、生物学、工学、社会学でした。企業や行政機関、政治団体、教育・研究機関、観光協会、コンサルティング、設計事務所の勤務を経て、リージョナル・マネージャーに就任した方たちでした。

カッセル大学大学院のカリキュラムは、建築学、都市計画学、ランドスケープ計画学、生物学、エコロジー学、地理学、有機農学、林学、農業政策、法学、経済学、社会学、美学から構成されていました。それ以外に、リージョナル・マネージャーさんたちに教えていただいた、フィールド調査がありました。修了生たちは、ヨーロッパ各地でリージョナル・マネージャーに就任しました。

地域らしさを大事にしてくれる人

協議会がリージョナル・マネージャーをさがす際には、卒業した学校、専攻分野、前職の専門性には、特にこだわる必要はないかと思います。

地域づくりの課題はさまざまです。リージョナル・マネージャーが、就任後に取り組む課題も、地域によって異なります。「地域らしい」地域づくりを進めてくれる人、地域らしさを尊重してくれる人を選ぶのがよさそうです。

解説：プリント 17a・17b　協議会の拠点の準備リスト　その１・２

解説：図解⑧　協議会（リージョナル・マネージメント）の拠点をつくる

プリント 17 は、ドイツの LAG を参考にした協議会の拠点の準備リストです。

1　全体

協議会が組織されて、リージョナル・マネージャーが就任したら、協議会メンバーが所属する組織、もしくは、公共施設に、協議会の拠点をつくります。

多くの場合、家賃を払わなくても部屋を貸してもらえると思います。休憩室や給湯室、会議室は、部屋を貸してくれた組織のものを共有させてもらいます。建物の入り口には、協議会の拠点を示す看板を出します。

2　リージョナル・マネージャー（RM）の部屋

リージョナル・マネージャーの部屋は小さめにし、静かに重要な話しあいができるように、2、3 人用の丸テーブルを置きます。コンピューター、電話、プリンターを置きます。リージョナル・マネージャーは、地域づくりの現場で、地域の人たちや組織と過ごすことが多く、協議会の拠点を不在にすることが多いです。

3　助手の部屋

リージョナル・マネージメントの拠点では、午前中か午後、毎日 4 時間ほど、アシスタントが勤務することが想定されます。協議会の拠点では、入口近くに、アシスタントの部屋があり、その奥にリージョナル・マネージャーの部屋が、別途あるのが望ましいレイアウトです。

アシスタントは、電話を受け、パソコンでメールをします。アシスタントの部屋の一角には、5、6 人用の会議テーブルを置きます。大きな窓辺に観葉植物を飾るなど、コミュニケーションがとりやすい雰囲気にします。フリップチャート（カレンダーのようにめくれる、大きな紙）や掲示板があると、日程を決めたり、簡単な話しあいをメモしたりできます。地域の書籍を集めた本棚、リーフレットの棚、印刷やコピー、fax ができる複合機、作業テーブルも置きます。

アシスタントが不在にする時間帯は、部屋を貸してくれた組織の受付にお願いし、地域の人たちがアポなしで訪問した際には、伝言を預かってもらいます。

4 給湯室と休憩室

リージョナル・マネージャーとアシスタントは、休憩室では、部屋を貸してくれた組織の社員や職員と一緒に休憩し、日頃からこまめに交流します。

また、給湯室には、お茶やコーヒーなどの飲み物、おやつを常備し、訪問者が来たら、いつでも歓迎します。会議の際にも、おやつや飲み物があると、場が和みます。

5 会議室

部屋を貸してくれた組織に、あらかじめ会議の日程を伝えて、組織の会議室を使わせてもらいます。会議室には、「集まり道具箱」とフリップチャート（カレンダーのようにめくれる、大きな紙）を置かせてもらいます。

リージョナル・マネージャーとアシスタントは、建物の入口の合鍵を預かります。地域の行事がある際、休日、夜間、早朝に、拠点に荷物を取りに行くためです。鍵の紛失などへの対応として、協議会が自賠責保険に入っておくのがおすすめです。

6 リージョナル・マネージメントの経費

協議会の電話、携帯電話、インターネットは、協議会の名義で契約し、料金を支払います。部屋を貸してくれた組織には、光熱費の実費を支払うのが良いかと思います。

リージョナル・マネージャーは、地域づくりの現場へ頻繁に出向きます。もし、協議会がリージョナル・マネージャーの個人所有車を借り上げる場合は、毎月、走行距離に応じて、通勤手当を基準に費用を算出し、精算します。

一方、車両の維持費、整備費、修理費、保険料、駐車場料金を考慮すると、リージョナル・マネージャーに長期間にわたって負担し続けてもらうのは好ましくないと思います。

ドイツのLAGでは、協議会メンバーにスポンサーになってもらい、広告を貼りつけた協議会の車を、リージョナル・マネージャーの移動用に用意することもあります。

図解⑧：協議会（リージョナル・マネージメント）の拠点をつくる

協議会（リージョナル・マネージメント）の拠点には、
地域づくりに関わる多くの人々が訪れます。
地域の人々が、ぶらっと相談に来たり、取組に関わるグループが
打ち合わせしたり、代表理事会をしたりします。
電話もたくさんかかってきます。
コミュニケーションがとりやすい拠点をつくりましょう。

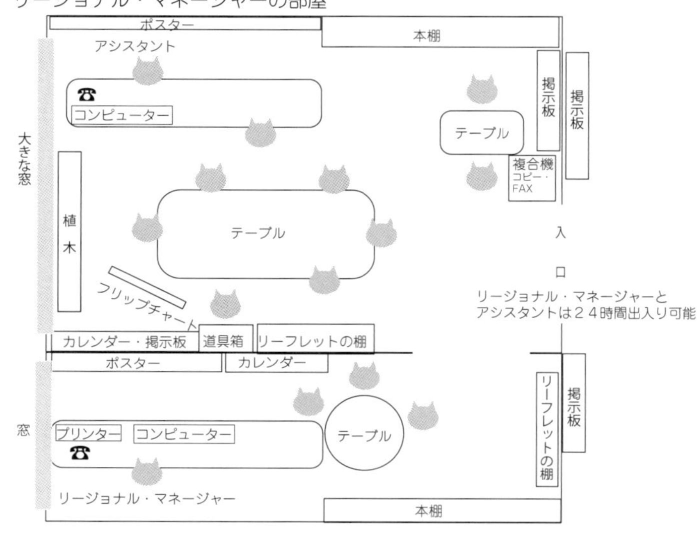

関連　：　図解⑨　ドイツのリージョナル・マネージャーの１週間（例）

確認した日：　　　年　　　月　　　日

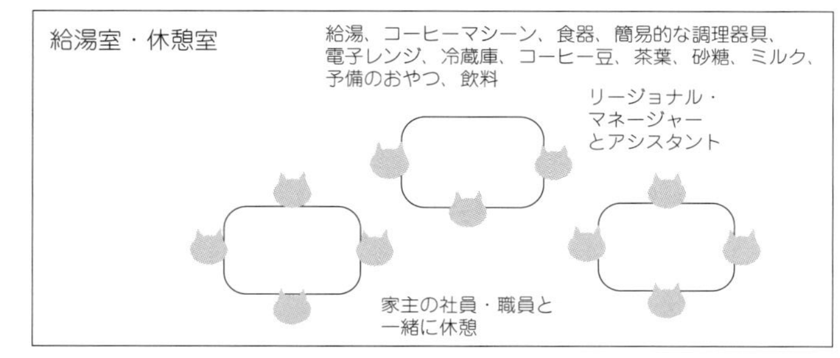

リージョナル・マネージメントの拠点は、協議会メンバーが所属する組織
公共施設などに間借りして整備します。
給湯室・休憩室や会議室は、家主のものを利用させてもらいます。
リージョナル・マネージャーとアシスタントが、地域づくりの現場へ
出向いて留守にするときは、電話を携帯に転送します。
二人の留守中には、家主の受付担当が、アポ無しの訪問者に声がけして、
伝言を聞いてあげます。

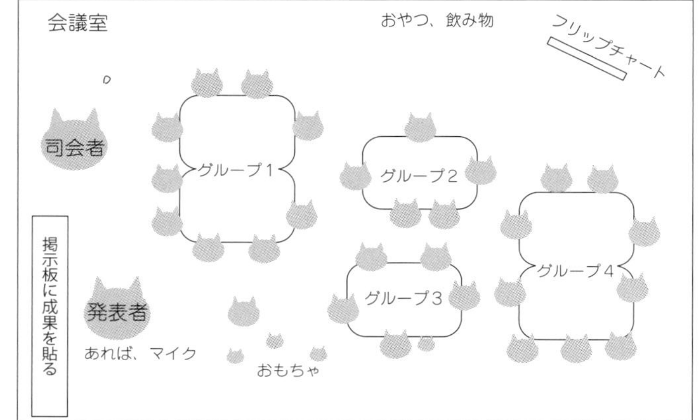

プリント１７a：協議会の拠点の準備リスト　その１　記入した日：　　年　　月　　日

全体

- □ リージョナル・マネージャーの部屋
- □ アシスタントの部屋
- □ 建物の入り口に看板
- □ 部屋の入り口に看板
- □ 会議室
- □ 休憩室
- □ 給湯室

RM

リージョナル・マネージャー（RM）の部屋

- □ パソコン
- □ プリンター
- □ 電話
- □ 2、3 人用の丸テーブル
- □ 建物の入り口の鍵
- □ 部屋の入り口の鍵
- □ 鍵紛失の際の自賠責保険

助手

アシスタントの部屋

- □ パソコン
- □ 電話
- □ 5、6 人用の会議テーブル
- □ 大きな窓
- □ 観葉植物
- □ フリップチャート（カレンダーのようにめくれる、大きな紙）
- □ 掲示板
- □ 地域の書籍を集めた本棚、リーフレットの棚
- □ 印刷やコピー、fax できる複合機
- □ 作業テーブル
- □ 建物の入り口の鍵
- □ 部屋の入り口の鍵
- □ 鍵紛失の際の自賠責保険

留守の場合

- □ 訪問者の伝言を聞いてくれる人（＿＿＿＿＿＿ の ＿＿＿＿＿＿ さん）

関連　：　プリント１７b　協議会の拠点の準備リスト　その２

プリント１７b：協議会の拠点の準備リスト　その２　記入した日：　　　年　　　月　　　日

休憩

給湯室と休憩室

- □ お茶やコーヒーなどの飲み物
- □ 湯沸ポット
- □ おやつ
- □ 食器
- □ 冷蔵庫

会議

会議室

- □ 集まり道具箱
- □ フリップチャート（カレンダーのようにめくれる、大きな紙）
- □ 20 人用の会議テーブル
- □ 部屋の予約表

経費

リージョナル・マネージメントの経費

- □ 電話代
- □ 携帯電話代
- □ インターネット通信料
- □ 光熱費の実費

協議会の車（可能であれば、協議会メンバーによる寄付）

- □ スポンサーの広告をたくさん貼り付けた協議会の車

上記が無理なら、リージョナル・マネージャーの個人所有車の借上げ

- □ 精算表（目的地、走行距離、通勤手当に準じて算出）

そのほか・・・

- □
- □
- □
- □
- □

関連　：　プリント１７a　協議会の拠点の準備リスト　その１

解説：図解⑨　ドイツのリージョナル・マネージャーの１週間（例）

ドイツのLAGを参考に、リージョナル・マネージャーがどのような業務をしているのか、１週間のスケジュールを想定して見ていきます。

➡関連　解説：プリント 14b　協議会運営の役割を分担する
➡関連　解説：図解⑦　協議会運営の役割分担

土・日　地域の人たちと組織の連携づくり

ドイツのリージョナル・マネージャーは、協議会のメンバー、住民、NPOや市民グループ、組合、企業を訪問して、地域にどのような取組があるか、または、求められているか話を聞きます。誰かが取組を検討している場合、その取組に関係すると思われる人たちや組織が集まって話しあう場を設けます。

集まって話しあうのは、参加者の職業を考慮して、なるべく多くの人たちが参加できる曜日と時間帯に行います。リージョナル・マネージャーが司会・進行を務め、参加者の人間関係や利害関係に配慮して、話しあいを進めます。

協議会も、そこで働くリージョナル・マネージャーも、地域の人たちと組織の信頼を得られるよう中立的な立場をとります。協議会は、一部の人や組織の利益、権力誇示に利用されないように気をつけます。

日曜日には、しばしば地域の行事があります。リージョナル・マネージャーが出席し、地域の人たちや組織と交流します。協議会の展示コーナーを構えて、地域づくりの取組や協議会について広報し、新たな取組の担い手や協議会のメンバーを募ります。

夜間や休日には、地域住民と集まって話しあうことが多いので、リージョナル・マネージャーは働きすぎになりがちです。

毎週の業務計画には、積極的に休日を組み込みます。

図解⑨　ドイツのリージョナル·マネージャーの1週間（例）

確認した日：　　年　　月　　日

土日　1. 地域の人々と組織の連携づくり

土曜日（ほぼ毎週末）
午前：打ち合わせ準備
午後：取組の打ち合わせ
→協議会メンバー、住民、NPO、組合、企業が参加

日曜日（年6回程度。それ以外は休み）
午前：地域の行事でPR、相談受付
午後：地域の行事でPR、相談受付

月　2. 助成事業の把握と応募·申請のアドバイス

午前：休み

午後：協議会メンバー、住民、さまざまな組織と面会
→各種助成金を紹介、申請書類の作成補助

メール・電話の返信

火　3. 取組の進捗状況の把握と協力

午前：協議会メンバーを訪問
→取組や各種助成事業の現地アドバイス

午後：住民、さまざまな組織を訪問
→取組や、各種助成事業の現地アドバイス

メール・電話の返信

水　4. 広報活動

午前：ホームページの更新、パンフレット作成、
市町村の広報への寄稿など

午後：助成事業に関するプレスリリースの原稿執筆

メール・電話の返信

木　5. 協議会の運営・地域内外の会議への出席

午前：代表理事会等の資料作成

午後：代表理事会等の運営
代表理事会の運営（月1回）・総会の運営（年1回）
地域内外での各種会議への出席（週2回程度）
メール・電話の返信
夕方：議事録の作成

金　6. 協議会の経営・事務

午前：協議会の経理、税務処理

メール・電話への返信

午後：休み

関連　：　図解⑦　協議会運営の役割分担

プリント 17a・17b

月　助成事業の把握と応募・申請のアドバイス

ドイツのリージョナル･マネージャーは、国、州、地方公共団体の補助事業や、財団法人などの寄付金について、ホームページや雑誌などで情報収集します。日頃から、地元の役場の職員や、他地域のリージョナル・マネージャーと情報交換し、地域づくりの資金に関する情報に、アンテナを張っています。

リージョナル・マネージャーは、地域づくりを行う人たちと組織を訪問し、補助事業について情報提供します。彼らが実施している、または、検討している取組が、補助事業の対象であるか確認します。もし、彼らが申請を希望すれば、申請書類の作成についてアドバイスします。申請書に記載する項目は､取組の背景、目的、申請予定者、取組を実施するメンバー、予算、助成額、自己負担額とその出資元などです。

補助事業の申請手続は､大変に手間がかかります。リージョナル･マネージャーは、取組を実施する人たちと一緒に、期待する補助金額、必要な申請業務、監査への対応などを天秤にかけて、補助事業を行う利点が充分か話しあいます。

補助事業に申請する場合は、申請者が長期的な視点をもって、事業を段階的に進展できるよう、リージョナル・マネージャーは実施計画づくりを手伝います。補助金を申請する前に、経営コンサルタントの助言を受けることもあります。

補助金の申請書類を準備しているうちに、地域の人たちと組織の中には、煩雑な作業が嫌になり、申請を取りやめてしまう人もいます。リージョナル・マネージャーは、こまめに申請者に連絡し、申請手続を継続的に手伝い、申請者の不安を取り除き、申請する意欲を保つよう働きかけます。

火　取組の進捗状況の把握と協力

ドイツのリージョナル・マネージャーは、地域づくりに取り組む人たちや組織と頻繁に連絡を取りあいます。また、地域づくりの取組の現場を訪問し、進捗状況を確認します。

地域づくりの人たちや組織が､地域づくりをしていて不安に思うことがあれば､いつでも具体的に相談にのります。地域でなにか問題が生じても、問題が悪化する前に解決できれば、地域の人たちの意欲は高まります。

水 広報活動

広報の内容は、地域づくりの取組の紹介、行事の案内、補助金のお知らせなどです。地域づくりに取り組む人たちのコメントや写真を中心に構成します。地域づくりの行事については、その準備の様子も伝えます。地域の行事カレンダーを定期的に掲載すると、地域の人たちがよく見ていて、行事に参加してくれます。

地域づくりの広報では、ドイツのリージョナル・マネージャーは、世代ごとに異なる手段で情報を発信します。年配の人たちは、地元の新聞や市町村の広報をよく見ています。そこで、新聞社や市町村の協力を得て、週に 1 回ほど、定期的に情報発信します。

若者は、新聞や広報のような紙媒体は利用しません。また、SNS でも、利用するものが限られています。地域の若者の話を聞き、最近、どの SNS をよく使うか教えてもらい、情報発信します。

また、地域の行事、さまざまな会議では、リージョナル・マネージャーの連絡先を明記した協議会のパンフレットを参加者に渡します。その際、協議会メンバーや地域づくりの担い手を対面で募集します。

リージョナル・マネージャーは、日頃から、さまざまな写真を撮影しておきます。また、写真に写っている人たちに、写真の使用許可をもらいます。ツイッターにアップする、新聞に掲載するなど、どのように使われるか明記した書類に署名してもらいます。

広報では、青少年の取組も取材し、情報発信します。未成年者の写真は、集合写真を除き、本人の顔が特定できない位置から撮影します。未成年者の写真を広報に使用する際には、本人だけでなく、保護者にも許可をとります。

木 協議会の運営・地域内外の会議への出席

リージョナル・マネージャーは、協議会の運営に関わります。4 週間から 6 週間ごとの代表理事会、毎年の総会を企画し、運営し、記録を作成します。

ドイツのリージョナル・マネージャーは、地域内外で、地域づくりのさまざまな会議に招待されます。しかし、会議への出席は週に 2 回ほどに控えます。協議会の業務である地域の人たちへのアドバイス、行事の準備と広報、補助金の申請業務を優先し、また、働きすぎにも気をつけます。

金　協議会の経営・事務

ドイツのリージョナル・マネージャーとアシスタントは、協議会の事務局、経理、税務処理を担います。

事務局としては、行政や企業が協議会に連絡しやすいように、平日の決まった時間に、アシスタントが協議会の拠点で電話対応します。拠点が不在になる時間帯には、リージョナル・マネージャーの携帯に電話を転送します。メールは常時受け付けています。毎日のメールの返信、電話の折り返しだけでも、多くの時間を費やします。

経理に関しては、リージョナル・マネージャーは協議会の銀行口座を管理しません。協議会は、市町村役場、銀行、組合、企業などに、銀行口座の管理と収支簿の処理を依頼します。リージョナル・マネージャーは予備の収支簿をつけます。人件費、通信費、光熱費は、協議会が銀行口座から振り込みます。交通費と雑費は、協議会の理事長が決裁し、同様に銀行口座から振り込みます。

税務処理は、年末に銀行口座の記録と 2 つの収支簿を確認し、税理士に依頼して確定申告します。

解説：プリント 18　リージョナル・マネージャーのバランスの良い 1 週間

協議会のリージョナル・マネージャーに就任した方は、このプリント 18 を使って、1 週間の業務計画をたててください。

図解⑨では、リージョナル・マネージャーがどのような業務をするかについて、1 週間のスケジュールを例示したのでご参照ください。

➡関連　図解⑨　ドイツのリージョナル・マネージャーの 1 週間（例）

プリント 18 の表では、上から順番に、①から⑥までの業務が並んでいます。⑦は、休日です。6 つの業務は、図解⑦「協議会運営の役割分担」と同じ内容です。

①地域の人々と組織の連携づくり
②助成事業の把握と応募・申請のアドバイス
③取組の進捗状況の把握と協力
④広報活動
⑤協議会の運営・地域内外の会議への出席
⑥協議会の経営・事務
⑦休み

表にある 1 つの丸は、4 時間働くことを意味します。

毎日約 8 時間、週休 2 日で、フルタイムで働く場合には、1 週間あたり 10 個の丸をつけます。休日としては、丸を 4 つ、必ずつけます。

表にある一番右側の列（日曜日の右隣）には、14 個の丸が並んでいます。

どうしても多くの時間がかかってしまう業務には、2 つの丸があります。なるべく時間を省略すべき業務には、1 つの丸があります。業務の簡略化を試みます。

プリント 18 に記入してみると、リージョナル・マネージャーの業務は煩雑で、勤務時間が足りないことに気づくかと思います。ドイツでは、リージョナル・マネージャーの負担を減らそうと、協議会メンバーがボランティアで、協議会の仕事を手伝っています。

プリント１８：リージョナル・マネージャーのバランスの良い１週間

記入した日：　　年　　月　　日

リージョナル・マネージャーは、いつでも時間に追われています。バランスよく業務を計画し、細部にこだわりすぎないようにこなします。
地域の人々と組織の連携促進（１）、実際に地域づくりの取組を実施する人々のサポート（２と３）、広報活動（４）を業務の中心にすえます。
協議会メンバーはできる限り業務を分担し、リージョナル・マネージャーが十分な休息をとれるよう、積極的にサポートします。

年 月	日 月		日 火		日 水		日 木		日 金		日 土		日 日		1週間に丸は14個あります。
	午前	午後	午前	午後	午前	午後	午前	午後	午前	午後	午前	午後	午前	午後	
1.地域の連携促進	○	○	○	○	○	○	○	○	○	○	○	○	○	○	1 2
2.助成金把握・申請アドバイス	○	○	○	○	○	○	○	○	○	○	○	○	○	○	3 4
3.取組の現場協力	○	○	○	○	○	○	○	○	○	○	○	○	○	○	5
4.広報活動	○	○	○	○	○	○	○	○	○	○	○	○	○	○	6 7
5.協議会運営その他の会議	○	○	○	○	○	○	○	○	○	○	○	○	○	○	8
6.協議会の経営・事務	○	○	○	○	○	○	○	○	○	○	○	○	○	○	9 10
7.休み	○	○	○	○	○	○	○	○	○	○	○	○	○	○	11 12 13 14

関連　：　図解⑨　ドイツのリージョナル・マネージャーの１週間（例）

毎日、２つの丸をつけます。１週間で、丸は14個までにします。

ステップ３　試す

解説：プリント 19　いつまでに、どこまで進むか？

プリント 19 では、地域の人たちや組織が実施している、実際の取組をとりあげて、誰のための取組か、なぜ取組を実施するかを再確認し、「取組の芽の育て方」について話しあいます。

１）取組の芽の育て方を考える

①　「小さな取組を、地域全体に増やす」ことが適する取組

・近くに住む人たちと、近所の組織が連携して実現できる。
・他地区の人たちも、似ている取組を実施できる。

➡小さな取組の芽が、たくさん芽生え、地域全体に広がるのが理想的。

②　「小さな取組を、大きな取組に育てる」ことが適する取組

・市町村単位で、取組が実現できる。
・または、市町村より広域で、多くの協議会が連携すると取組が実現できる。

➡少人数のグループが行う小さな取組の芽を、賛同者を増やして、大きなグループが行う取組へと発展させるのが理想的。

プリント７「身近で取り組む？広域で取り組む？」も参考にして、みんなの取組が、小さなグループで実施するのが適するか、大きなグループで実現するのが望ましいかを判断します。

➡関連　プリント７「身近で取り組む？広域で取り組む？」

２）道しるべを定める

現在、取組がどのくらい進んでいるかを確認し、今後の道しるべを定めます。最終目標を定め、途中経過を考えて、いつ、なにを達成するかを話しあい、節目、節目の目標を、プリント 19 に記入します。目標達成にむけて、誰が、なにをするか、役割分担も決めます。

もし、まだ実際に取組を始めていなく、検討段階であれば、「一緒に取り組もう」と誰かを誘い、話しあいながら、プリント 19 に目標を記入します。

プリント 19：いつまでに、どこまで進むか？

取組名：

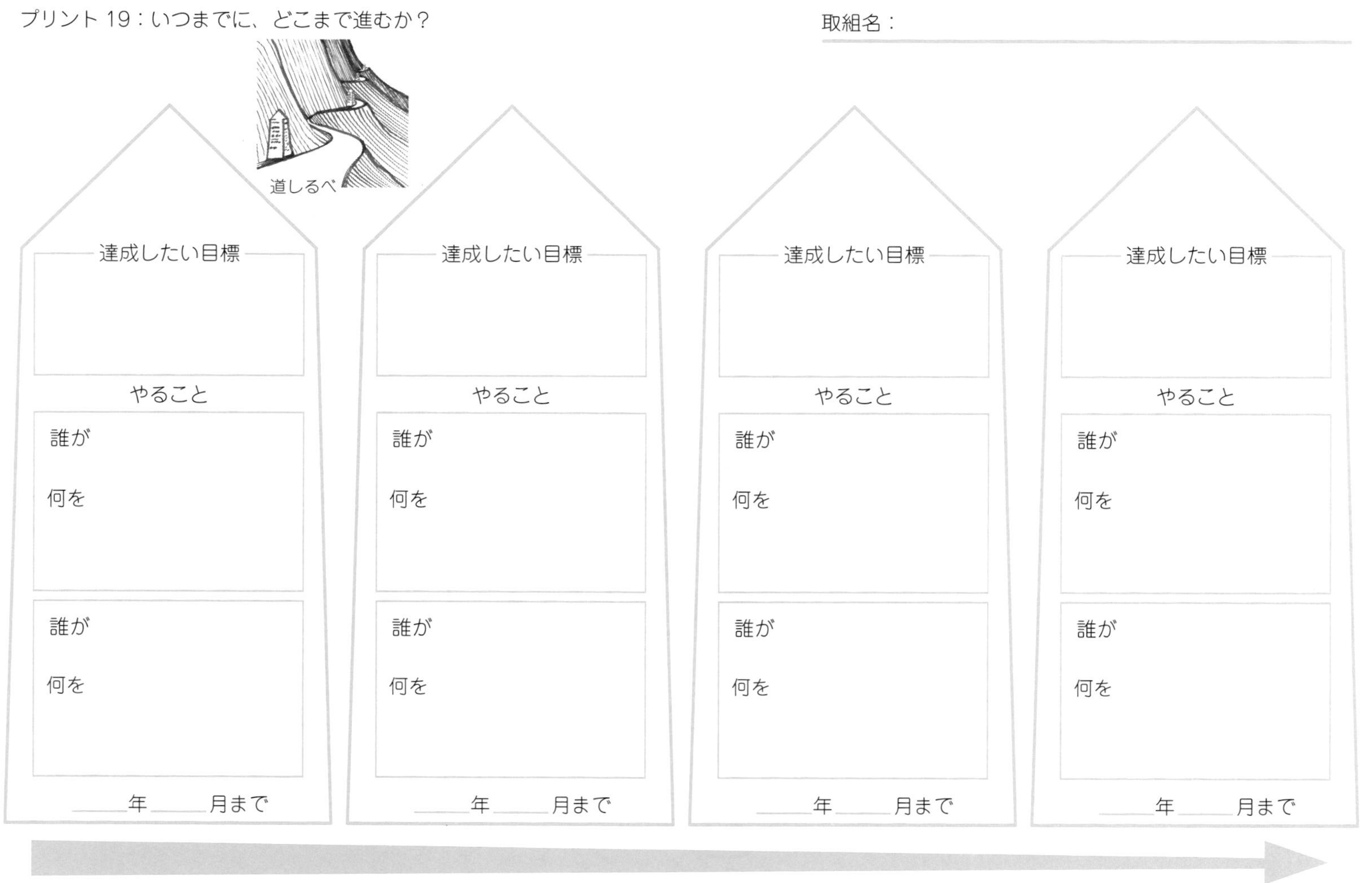
道しるべ

達成したい目標

やること

誰が
何を

誰が
何を

＿＿年＿＿月まで

達成したい目標

やること

誰が
何を

誰が
何を

＿＿年＿＿月まで

達成したい目標

やること

誰が
何を

誰が
何を

＿＿年＿＿月まで

達成したい目標

やること

誰が
何を

誰が
何を

＿＿年＿＿月まで

関連　：　プリント20　取り組む際に考えること、決めること

記入した日：　　年　　月　　日

water
みず

【取組の芽を育てるコツ】

取組の芽の育て方を考えて、最終目標や道しるべを定めても、実現可能なのかが分からないこともあります。そのような場合には、取組の関係者だけで話しあっても、堂々巡りになるので、誰かに相談します。取組の方向性に迷う時も、動きを止めないことが大切です。

動きを止めないでできること：

・期間を決めて、取組を試します。

・モデル地区やモデル組織を限定して、取組を試します。

補助金や寄付金を利用できる場合：

・地域づくりの専門家やコンサルタントに相談し、助言してもらいます。

・実施可能か、専門家に事前に調査（シミュレーション）してもらいます。

プリント４「イノベーション」を参考にして、目標達成にむけてやるべきこと（ミッション）を考えます。また、ミッションをどのような手段で実施するかを検討します。

手段が決まると、やるべきことが明確になります。また、最終目標に到達するための、節目、節目の道しるべが、定めやすくなります。

➡関連　プリント４「イノベーション」

解説：プリント 20　取り組む際に考えること、決めること

プリント 20 では、地域内で取組の芽の数を増やしたり、取組の芽を大きく育てたりするために、必要な人材、組織、資金について確認します。

プリント 20 を使って話しあう前に、参加者間で誤解が生じないように、以下のＡとＢの、どちらの話しあいを行うのかを確認します。

Ａ：ある道しるべから、次の道しるべに到達するまでの、
　「部分的な道のり」について話しあう。
Ｂ：最初の道しるべから、最後の道しるべに到達するまでの、
　「全体的な道のり」について話しあう。

①誰のために、なぜ取り組むのかを確認する

みんなが検討している取組が、誰のために、なぜ取り組むのかを、もう一度、確認します。どのような問題に対応するのか、どのような課題を解決したいのかを、はっきりとさせます。

②なにに取り組むのかを確認する

具体的には、なにに取り組むのかを、話しあいながら確認します。

③取組の場所を決める

みんなが取組を実施する地区、話しあいの際に集まる場所、行事などを開催する会場について話しあいます。

④取組に必要な人たちと組織について整理する

誰が取り組むのか、取組グループのメンバーを考えます。また、そのメンバー以外にも、取組を実現するためには、どのような人たちや組織に協力してもらう必要があるかを考えます。

知識や技術のある人たち、資金や生産力のある企業・組織、地域内外にネットワークのある市民グループなど、誰の協力が必要かを整理します。

⑤経費と出資者を検討する

必要な経費について書き出し、誰が出資してくれるか、補助金を使うのかなど、資金の調達に関して話しあいます。

当然ですが、資金の集まり具合によって、取組の内容と進め方が変わります。経費の額面により、誰に、どのような形で、出資をお願いするかは異なります。もし、資金がうまく調達できない場合には、取組の内容や実施する場所などを変更します。資金がなくても、自前の人材や物資で取り組むこともあります。

【資金確保にむけてアピールするコツ】

地域づくりの取組を本格化させるには、相応の資金が必要です。

補助金の申請書類をつくったり、財団法人や企業から寄付金を募るために企画書を作成したりするうえで、プリント 20「取り組む際に考えること、決めること」を使って、取組の概要をまとめておくと役立ちます。

プリント 10「みんなで思い描く、地域の将来像」もあわせて使うと、地域の人たちが将来像を描き、同じ道を歩む気持ちを共有していることを示せます。

➡関連　プリント 10「みんなで思い描く、地域の将来像」

みんなの取組の重要性、必要性、地域の人たちと組織が協力して取り組む姿勢について、行政や社会にアピールし、地域づくりの資金確保をめざします。

プリント20：取り組む際に考えること、決めること

取組名

なぜ取り組むか　問題点や課題など

なにに取り組むか

期間:　年　月　から　年　月　まで

具体的なスケジュール

年　月

年　月

年　月

年　月

関連　：　プリント19　いつまでに、どこまで進むか？

取り組む場所　取組をする地区、集まって話しあいする場所、開催会場など

取組のメンバー

協力者と組織

経費の総額　円

経費の内訳

費:　円

費:　円

費:　円

補助金の名称　補助金の金額

円

自己負担額の出資者　自己負担額

円

記入した日：　年　月　日

ステップ４　広げる

解説：プリント 21　どんな創意工夫をしたの？

第７回勉強会の集まり「他の地域と交流して学ぼう、広がろう」では、複数の地域の人たちが集まり、地域づくりの取組のアイデアや現場のノウハウを交換します。勉強会では、プリント 21「どんな創意工夫をしたの？」を使って、各地域で実施している取組の概要、実施方法について紹介します。

プリント 21 を使って紹介すること

実際に行っている取組に関して、①から⑩までの項目に沿って紹介します。

①　取組の内容

取組の内容、うまくいった点を紹介します。

②　取り組む人たちの職業等と役割

誰がどのような役割を果たしているかを紹介します。アイデアを提案した人、実際に取り組んでいる人、連絡や調整などのコーディネートをしている人・組織、協力してくれる専門家について紹介します。

③　どんな点が新しいの？　―イノベーションの視点―

どのような新しいこと（イノベーション）に取り組んでいるかを紹介します。新しい仕組・連携、新しい文化、新しい技術・製品・資源について紹介します。

④　難しかったこと

取り組みをしていて、なにが難しかったか、どのような課題が浮き彫りになったかを紹介します。

⑤　創意工夫したこと

どんな創意工夫が、課題の解決に役立ったかを紹介します。課題を解決するためのコツがあれば、お互いに教えあいます。

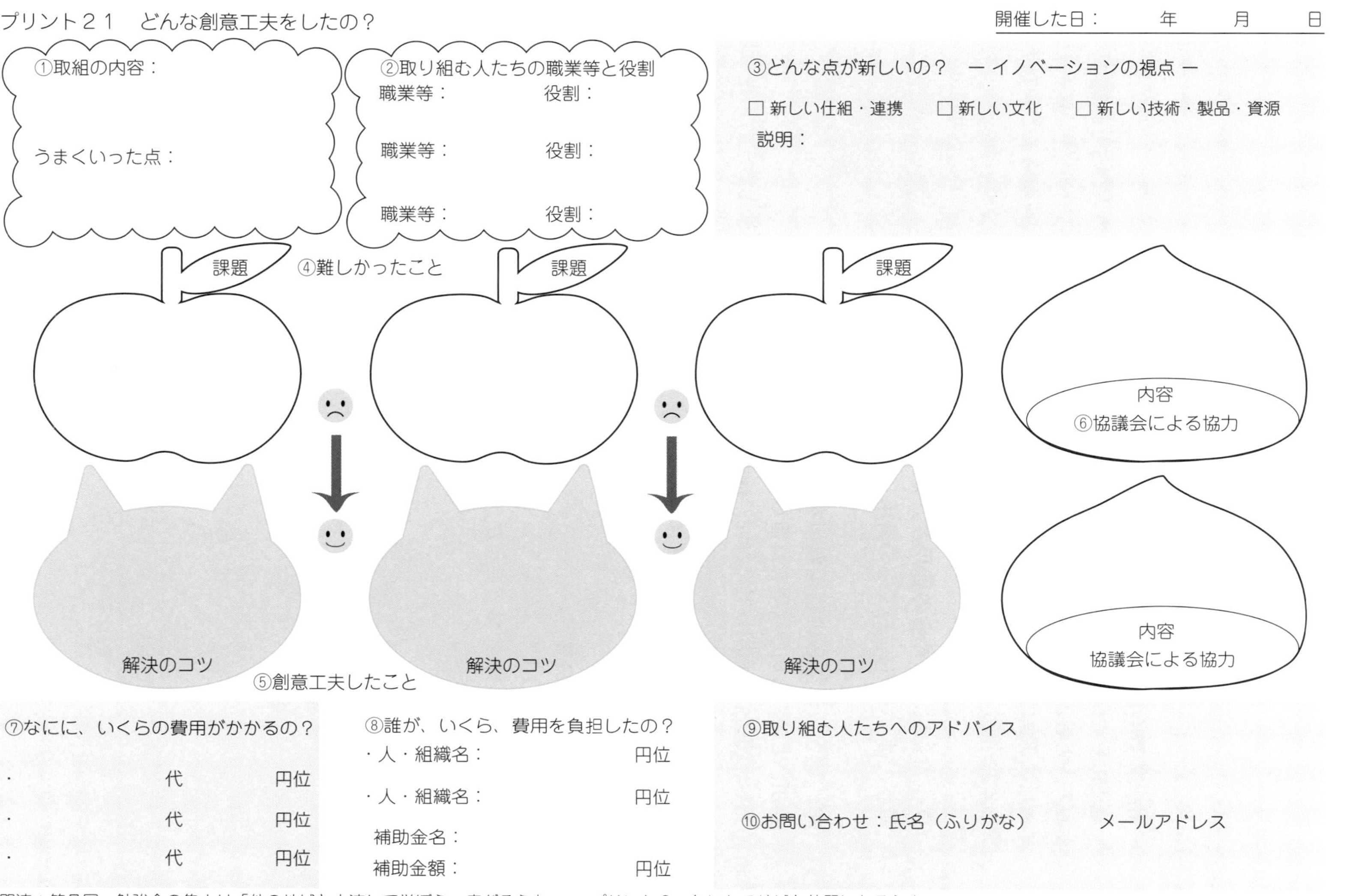
プリント２１　どんな創意工夫をしたの？
開催した日：　　年　　月　　日
①取組の内容：
うまくいった点：
②取り組む人たちの職業等と役割
職業等：　役割：
職業等：　役割：
職業等：　役割：
③どんな点が新しいの？　ーイノベーションの視点ー
□ 新しい仕組・連携　□ 新しい文化　□ 新しい技術・製品・資源
説明：
課題
④難しかったこと
課題
課題
内容
⑥協議会による協力
解決のコツ
⑤創意工夫したこと
解決のコツ
解決のコツ
内容
協議会による協力
⑦なにに、いくらの費用がかかるの？
・　代　円位
・　代　円位
・　代　円位
⑧誰が、いくら、費用を負担したの？
・人・組織名：　円位
・人・組織名：　円位
補助金名：
補助金額：　円位
⑨取り組む人たちへのアドバイス
⑩お問い合わせ：氏名（ふりがな）　メールアドレス
関連：第７回　勉強会の集まり「他の地域と交流して学ぼう、広がろう」　プリント６　気になる地域と仲間になろう！

⑥ 協議会による協力

地域にもし協議会があれば、協議会が地域づくりの取組を行う人たちと組織に対して、どのような協力をしたかを紹介します。

人材や資金に限りがあるなかで、地域の人たちが協議会になにを期待していて、協議会が実際にどのように協力できたかを紹介します。

⑦ なにに、いくらの費用がかかるの？

取組では、なにに、いくらの費用がかかったかを紹介します。

⑧ 誰が、いくらの費用負担をしたの？

誰が、どのくらいの費用を負担してくれたかを紹介します。

もし、補助金を利用していれば、補助金の名称と金額も紹介します。

⑨ 取り組む人たちへのアドバイス

同じような取組をしている他地域の人たちにむけて、アドバイスします。

⑩ お問い合わせ

他地域で、同じような取組をしている人たちが、アドバイスを必要とした場合には、誰にお問い合わせできるか、質問にお答えいただける人の氏名とメールアドレスを紹介します。

1
2
3

解説：第7回　勉強会の集まり「他の地域と交流して学ぼう、広がろう」の進行

プリント 21「どんな創意工夫をしたの？」を使い、他地域の人たちと勉強会を実施します。第７回の「次第書」もあわせて利用してください。

所要時間：１泊２日（3 時間の話しあい + 現地見学会と交流会）

事前準備

幹事地域の人たちは、勉強会に参加する他地域の人たちと連絡をとり、どの分野の取組について情報交換するのかを決めます。

各地域の発表者は、プリント 21「どんな創意工夫をしたの？」を事前に記入し、写真はパワーポイントなどで準備しておきます。

１日目

13:45 頃　集合

会場に到着した人から、おやつを食べて歓談します。

14:00　司会者のあいさつ

どの分野の取組について情報交換するのかを参加者に伝えます。

各地域から１人ずつ、３分ほどの持ち時間で、勉強会への期待を話します。

14:20　（1）プリント 21「どんな創意工夫をしたの？」(前半：発表者２人)

プリント 21 やパワーポイントを使い、２人の発表者が話題提供します。

【発表の時間配分　1 人あたり 20 分】

① 15 分で発表します。

② 発表後は、司会者が参加者の質問を受けつけます。

③ 5 分で質疑応答を終え、次の発表者に交代します。

質問は尽きないと思いますが、司会者は、次のようにアナウンスします。

「質問は、このあたりでいったん終わりにし、次の発表者に交代します。休憩時間や交流会でも、たくさんの現場の知恵や情報を交換してください」

15:00　おやつ休憩（２回目）

15:30　（２）プリント 21「どんな創意工夫をしたの？」(後半：発表者３人)

前半に引き続き、３人の発表者が話題提供します。

16:30　（３）プリント６「気になる地域と仲間になろう！」

地域の人たちと組織が、よりよい地域づくりができるように、定期的な勉強会を計画します。プリント６を使い、勉強会の日程と幹事になる地域を決めます。

17:00　交流会

各地から集まった参加者が、地元のおいしい食材を使った料理を楽しみながら交流します。２日目に訪問する、現地見学先の人たちも交流会に参加します。

特定の人が、食事の準備や片付けのために、厨房に入ったままにならないように気をつけます。男女を問わず、幹事の地域の人も、他地域の人も、一緒に準備しながら交流すると、親睦も深まります。

交流会の後は会場をそのままにし、幹事の地域の人を中心に、翌日の解散後に片付けを行います。

２日目

10:00 頃　地域づくりの取組の現地見学会

幹事の地域のメンバーは、地域づくりの取組の現地見学会を引率します。現地では、実際に取組を担う人たちが、取組の内容を紹介します。必要に応じて、司会者が補助します。他地域の人たちとの会話を通じて、地域づくりの現場の知恵を交換しあいます。

12:00　昼食　食後、だんだんと解散する

勉強会の参加者は、現地見学先の人たちと一緒に、昼食を楽しみながら交流します。司会者は、話題提供の発表者、現地見学先の人たち、その他の参加者にお礼の言葉を述べます。次回の勉強会の日程を案内して、解散します。時間に余裕がある地域の人たちとは、おやつを食べながら歓談します。

幹事の地域の人たちは、１日目の集まりの会場の後片づけをします。

NYAG

【勉強会の準備のポイント】

1 年間の日程をたてる

年間の日程をたて、あらかじめ勉強会で話題提供するテーマを決めておくと、発表者は準備しやすく、参加者は勉強会に満足してくれるようです。

2 プリント 21「どんな創意工夫をしたの？」のテーマとは？

A：勉強会ごとに「分野」を決め、各地域の発表者が取組を紹介します。

特定の分野をテーマにする（例）：
「地域ブランド」・「再生可能エネルギー」・「青少年育成」など

分野グループのように、分野を組み合わせてテーマにする（例）：
「暮らし・学び・助け合い」・「環境・風景・インフラ」
「地域らしさ・多様な仕事」・「モビリティ・交流」など

B：幹事の地域が、「幹事の地域のさまざまな取組」を紹介するのも一案です。

3 地域づくりの取組の現場をじっくり見学する

幹事になる地域のメンバーは役割分担して、現地見学会を企画し、引率します。あわせて、食事の出前、飲食店の予約、宿泊施設の予約をします。

4 費用は、いつでも、どこでも割り勘にする

どこの地域で開催しても、食事と宿泊にかかる費用は、全ての地域が均等に分担します。

地域間で交流し、学びあうと、地域づくりを飛躍させることができます。勉強会の費用に関しては、協議会の活動費として支出するのが理想的です。

5 地域のコーディネーター（リージョナル・マネージャー）が集まる

地域づくりのコーディネーター（リージョナル・マネージャーなど）が各地から集まり、お互いの仕事についてアドバイスしあうのもおすすめです。

ステップ 5　見つめなおす

解説：プリント 22　協力図の「作り方」「読み方」

ある実際の取組を実施する人たちと組織が協力関係について自己評価します。協力関係の改善、さらなる構築をめざして話しあいます。

解説：第 8 回　自己評価の集まり 1「みんなの協力を確認する」の進行

プリント 22 を使い、第 8 回自己評価の集まり 1「みんなの協力を確認する」を開催します。「次第書」もあわせて利用してください。

13:45 頃　集合

14:00　司会者のあいさつ

司会者は参加者に、ある実際の取組を実施する人たちと組織における協力関係について自己評価すると伝えます。プリント 22 を参考に、協力図の「作り方」と「読み方」について説明します。

14:20　協力図を作ろう！

（1）取り組んでいる人の名前・組織名を書く（ねこ型の色カード）
（2）将来、取組に参加して欲しい人の名前・組織名を書く（ねこ型の色カード）
（3）模造紙に協力図を描く

プリント 22 の右側には、協力図を「作って」「読みとる」ための、10 の質問があります。質問を読んで、話しあいながら、協力図を作っていきます。

なぜそのような協力関係になったか、その理由についても話しあいます。

15:00　おやつ休憩

15:20　協力関係をつくるには？

(4) 協力関係、協力していない関係を見つける

協力している人と組織

「今後も仲良く取り組みます」とお互いに感謝しあいます。

異なる意見をもち、協力していない人と組織

意見が異なる人と組織が見つかったら、次のことを確認します。
・どのように意見が異なるか？
・意見が異なる人たちは、どのような条件であれば、協力できるか？
・意見がまとまらない場合、どのように取組を進めるか？

(5) 改善方法を考え、お世話する人を選ぶ

地域の人たちと組織が協力しあえるように、取組の改善方法を考え、参加者の中からお世話してくれる人を選びます。「関係1」は○○さん、「関係2」は○○さんというように、お世話役を選び、協力関係を調整してもらいます。

【参考】

協議会の内部で、メンバー間の協力関係を改善したい場合には、プリント 23「がっかりな協議会事典」を使って話しあい、改善を試みます。

➡関連　プリント 23a・23b「がっかりな協議会事典1・2」

16:00　次回の集まりの案内、片付け、解散

司会者は、参加者にお礼の言葉を述べます。次回の集まりの日程を案内し、解散します。司会者は「参加者のみなさんは、時間の許す限り会場に残り、おやつを食べて交流しながら、一緒に会場を片づけてください」とアナウンスします。

【プリント 22 の参考資料】

DVS (2014) Organisationsstrukturen-Analyse, *Selbstevaluierung in der Regionalentwicklung*, BLE, Bonn:120-123.

Gothe, Stefan (2006) Regionale Prozesse gestalten.

Handbuch für Regionalmanagement und Regionalberatung, Kassel. (unter dem Begriff "Team-Check")

プリント 22：協力図の「作り方」「読み方」

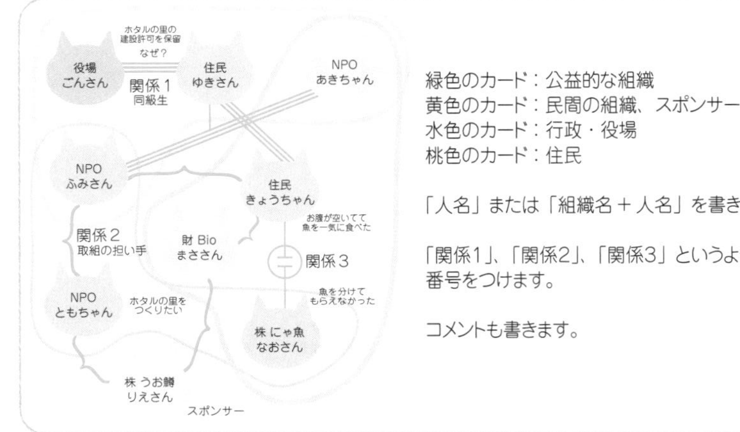

緑色のカード：公益的な組織
黄色のカード：民間の組織、スポンサー
水色のカード：行政・役場
桃色のカード：住民

「人名」または「組織名＋人名」を書きます。

「関係1」、「関係2」、「関係3」というように、
番号をつけます。

コメントも書きます。

青いマジック：同じ組織の人たちを囲む
オレンジ色のマジック：同級生、友人、親戚などを囲む
黄色のマジック：協議会メンバーを囲む

緑色のマジック：
・３本線でつなぐ：とても意見があう
・１本線でつなぐ：ちょっと仲間に入りづらい
・{ } で囲む：みんなで意見が一致している

赤色のマジック：
・意見が異なることが、よく知られている
・意見が異なることが、あまり知られていない
・意見調整をする人（C）
・意見調整する人が複数人いる（C と D）

関連：第８回　自己評価の集まり１「みんなの協力を確認する」

協力図を「作って」「読みとる」ための１０の質問

①誰が、何の役割を果たしていますか？
②誰が、どのくらいの期間、取組に関わっていますか？
③誰と誰が、協力していますか？
④同級生、友人、親戚などの人脈がありますか？
⑤メンバーが、他の取組にも関わっていますか？

協力しあっている人と組織を見つけたら・・・
「今後も仲良く取り組みましょう！」と、お互いに感謝します。
・・・・・・

あまり協力できていない人と組織を見つけたら・・・、考えます。
⑥誰と、誰が、どうして、お互いを避けていますか？
⑦誰が、⑥の調整を試みていますか？
⑧意見が異なることを、みんなは知っていましたか？
⑨意見が異なる人たちは、どのような条件であれば、協力できそうですか？
⑩二人が不仲のまま、どのように取組を進められますか？

世話人を選ぼう！

地域の人々と組織が、良好な協力関係を結べるように、
参加者から世話人を選びます。

「関係３」はともちゃん、「関係１」はふみさんというように、
複数の世話人を選んで、分担して協力関係を調整します。

参考：DVS (2014)

解説：プリント 23a・23b　がっかりな協議会事典１・２

（1）たまにチェックして防ごう

職業の関係で協議会に参加する人もいますが、多くの地域の人たちは、ボランティアで協議会に参加します。協議会は、さまざまな人たちの「コミュニティ」です。協議会メンバーが、気分よく協議会の集まりに参加し、協力しあえる人間関係を築くことが大切です。

プリント 23a・23b「がっかりな協議会事典１・２」を参考に、協議会の運営や人間関係について、時々、点検します。もし、うまくいっていない場合には、早急に軌道修正します。

自分では気づかないうちに、協議会の雰囲気を損ねている人がいるかもしれません。協議会の雲行きが怪しい時には、具体的に「がっかりなこと」を書き出します。また、協議会として、どのような「正解」が望ましいか話しあい、改善していきます。

協議会における人間関係は、悪くなったり、良くなったりを繰り返します。協議会メンバーの顔ぶれ、一人一人の仕事や家庭の状況も変化し、協議会の活動に影響します。協議会メンバーが参加しやすい雰囲気を保ち、協議会が空中分解しないように、時々点検して、問題を解決します。

（2）協議会に起きるがっかりなこと

①だれかが勘違いして仕切りだす
②分野グループがアドバイザー集団に豹変する
③みんなが年をとっている
④リージョナル・マネージャーを事務局に閉じ込める
⑤風通しが悪い
⑥似ていないとだめ
⑦リージョナル・マネージャーを使い捨てる

(3) 協議会の最大の落とし穴 ⑥似ていないとだめ

イプセン (2005)

地域づくりでは、地域の人たちが望み、意欲を高めて、自己責任で動いて目標を達成すること、つまり地元主導の動きが重要です。しかし、地域の人たちが考えている多様な目標を束ねることは、簡単ではありません。協議会に所属していても、その中で小さなグループに分かれていて、グループ間の連携は自然には起こりません。各グループに所属することによって、お互いに壁をつくり、意識的に距離をとるのが一般的です。その原因はねたみや競争です。

似たような考え方をする人たちがグループをつくると、物事を決めるのが簡単です。しかし、グループとグループの間の分裂は広がっていきます。地域づくりの協議会を設立しても、そこに所属する限られたメンバーによる集団活動のしがらみと、そこへの交わりを好まない人たちの孤島が、地域に見られるようになります。多くの場合では、その状態で硬直してしまいます。

そうなると地域のまとまりは、協力関係やネットワークではなく、縦割りだけになります。住民、民間、公益、行政というセクターが、「我こそが舵を取るのだ」と主張し、協議会は形ばかりになります。協議会がそのような状態では、自発的な取組の新しい芽はすぐに枯れてしまいます。

異なるグループの人たちが、お互いに異なる考え方を有しながらも協力し、連携するためには、同じ時間を共に過ごすことが大切です。例えば、地域のシンボルとなる風景を見たり、その場所で語りあったりします。協議会のメンバーが、その風景を守るために、グループの垣根を越えて一緒に汗水流すと、信頼関係が生まれ、そこが共同の活動の場となります。

イプセン先生が上記に示す、地域の人たちの信頼関係を育む共同の活動の場が、この本の冒頭にある「詩的な場所」です。LEADER 地域には、「詩的な場所」がたくさんあります。

プリント２３a：がっかりな協議会事典１　ーたまにチェックして防ごうー

確認した日：　　年　　月　　日

正解：謙虚にふるまう

がっかりなこと：だれかが勘違いして仕切りだす

- [ ] いろいろな代表の人たちは気をつけます
- [ ] 財力のある人たちも気をつけます
- [ ] たくさん知識のある人たちも気をつけます

正解：若者が協議会の主役になる

がっかりなこと：みんなが年をとっている

- [ ] 若者に、代表理事の半数以上を任せ、意見を反映します
- [ ] 記録、経理、事務は、年配者も率先して担います
- [ ] 子連れで、協議会に出席できるように環境整備します

正解：みんなで作業を担う

がっかりなこと：分野グループがアドバイザー集団に豹変する

- [ ] 意見だけいう人は、重荷になるので気をつけます
- [ ] みんなが求めるのは、励ましの言葉と協力です
- [ ] ポジティブに考え、実現にむけて発言し、行動します

正解：リージョナル・マネージャーはみんなと一緒にいる

がっかりなこと：リージョナル・マネージャーを事務局に閉じ込める

- [ ] リージョナル・マネージャーはいつも現場にいます
- [ ] リージョナル・マネージャーはみんなに頼られています
- [ ] リージョナル・マネージャーを励まし、差し入れします

関連　：　プリント１４b　協議会運営の役割を分担する　　図解⑤　地域づくり協議会のメンバー構成（例）

プリント２３ｂ：がっかりな協議会事典２　ーたまにチェックして防ごうー

確認した日：　　　年　　　月　　　日

正解なし：協議会のあり方に正解はない。協議会は変化する

がっかりなこと：風通しが悪い

- □ メンバーの交代、一時脱退、復帰を歓迎します
- □ 協議会のルールは、メンバーの都合にあわせて変えます
- □ ルールはなるべく決めず、ルールがあっても常に改善します

正解：＿＿＿＿＿＿＿＿

がっかりなこと：＿＿＿＿＿＿＿＿

- □ ＿＿＿＿＿＿＿＿
- □ ＿＿＿＿＿＿＿＿
- □ ＿＿＿＿＿＿＿＿

正解：違うのが当たり前と思う

がっかりなこと：似ていないとだめ

- □ 少数派の意見にも耳を傾け、受け入れます
- □ 相手を変えようとするのは、絶対にやめます
- □ 多様であることを、取組に活かしていきます

正解：リージョナル・マネージャーの負担を減らす

がっかりなこと：リージョナル・マネージャーを使い捨てる

- □ リージョナル・マネージャーの心身を守ります
- □ リージョナル・マネージャーの家庭を守ります
- □ リージョナル・マネージャーの将来を約束します

関連　：　プリント２２　協力図の「作り方」「読み方」

解説：プリント 24a・24b　協議会の運営に満足しているか？ その１・２

プリント 24a・24b を使い、第９回自己評価の集まり２「協議会の運営に満足しているか？」を実施します。「次第書」もあわせて利用してください。

解説：第９回　自己評価の集まり２「協議会の運営に満足しているか？」詳細

協議会の運営について自己評価し、改善案を話しあいます。プリント 24a・24b には、6 種類の「ものさし」があります。参加者が「ものさし」にシールを貼って評価します。「ものさし」にシールを貼るために、11 の質問があります。

全ての参加者がシールを貼り終わったら、評価の理由を発表します。その後、全体で話しあうなかで、協議会の運営について自己評価します。

シールの貼り方

あ）プリント 24a・24b の「ものさし」を掲示板に貼る

い）シールを配る
参加者は、１人あたり６枚のシールをもらいます。
セクター別グループによって、シールの色が異なります。
・桃色のシール：住民セクター　・緑色のシール：公益セクター
・黄色いシール：民間セクター　・水色のシール：行政セクター

う）シールを貼る
参加者は、「ものさし」ごとに１人１枚のシールを貼ります。
「1」とても満足している　「4」少し不満に思う
「2」満足している　「5」不満に思う
「3」少し満足している　「6」とても不満に思う

「ものさし」にシールを貼るための 11 の質問
(プリント 24a・24b の質問)

①地域の人々と組織の連携づくり
(1) みんなで、十分に話しあいができている？
(2) 地域づくりに連携して取り組んでいる？

②助成事業の把握と応募・申請のアドバイス
(3) さまざまな助成事業について把握している？
(4) 誰かが助成金に応募する際、申請書の作り方をアドバイスしている？

③取組の進捗状況の把握と協力
(5) 誰かが地域づくりに取り組む際、協議会は協力している？

④広報活動
(6) 協議会は、地域で広く知られている？
(7) 広報活動は十分にできている？
（ホームページ、SNS、ニュースレター、行事、新聞記事など）

⑤協議会の運営
(8) 協議会の運営は順調にできている？
(9) 協議会は地域の人たちと組織に、
地域づくりの研修の機会を提供している？

⑥協議会の経営・事務
(10) 協議会の経営は順調にできている？
(11) 協議会の事務は、代表理事や協議会メンバーで分担している？

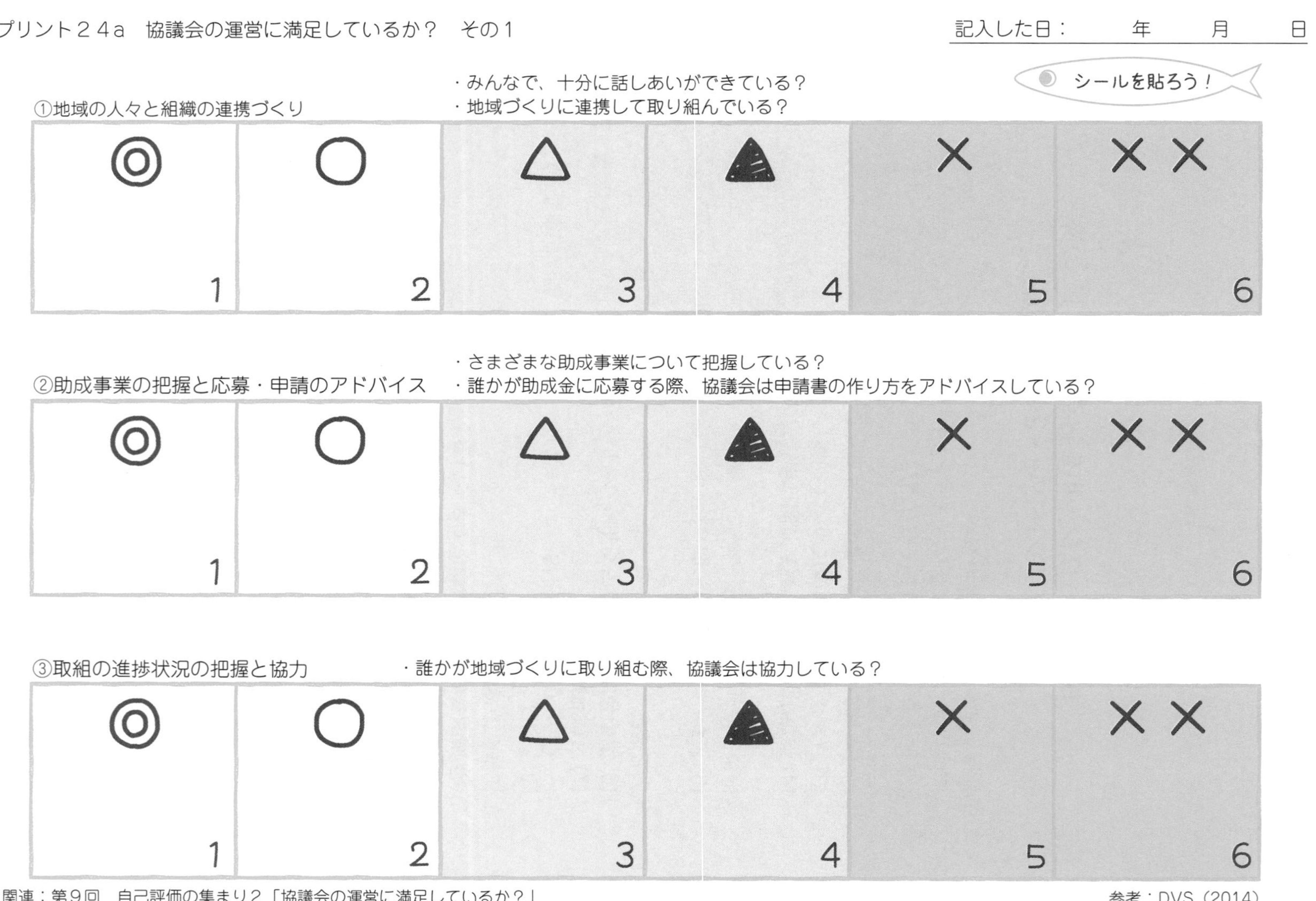

プリント２４a　協議会の運営に満足しているか？　その１

記入した日：　　年　　月　　日

シールを貼ろう！

①地域の人々と組織の連携づくり
・みんなで、十分に話しあいができている？
・地域づくりに連携して取り組んでいる？

◎	○	△	▲	×	××
1	2	3	4	5	6

②助成事業の把握と応募・申請のアドバイス
・さまざまな助成事業について把握している？
・誰かが助成金に応募する際、協議会は申請書の作り方をアドバイスしている？

◎	○	△	▲	×	××
1	2	3	4	5	6

③取組の進捗状況の把握と協力
・誰かが地域づくりに取り組む際、協議会は協力している？

◎	○	△	▲	×	××
1	2	3	4	5	6

関連：第９回　自己評価の集まり２「協議会の運営に満足しているか？」

参考：DVS（2014）

プリント２４b　協議会の運営に満足しているか？　その２

記入した日：　　年　　月　　日

シールを貼ろう！

④広報活動
・協議会は、地域で広く知られている？
・広報活動は十分にできている？（ホームページ、SNS、ニュースレター、行事、新聞記事など）

◎	○	△	▲	×	××
1	2	3	4	5	6

⑤協議会の運営
・協議会の運営は順調にできている？
・協議会は地域の人たちと組織に、地域づくりの研修の機会を提供している？

◎	○	△	▲	×	××
1	2	3	4	5	6

⑥協議会の経営・事務
・協議会の経営は順調にできている？
・協議会の事務は、代表理事や協議会メンバーで分担している？

◎	○	△	▲	×	××
1	2	3	4	5	6

関連：第９回　自己評価の集まり２「協議会の運営に満足しているか？」

参考：DVS（2014）

解説：第９回　自己評価の集まり２「協議会の運営に満足しているか?」の進行

13:45 頃　集合

14:00　司会者のあいさつ

司会者は、協議会の運営方法を振り返り、改善案について話しあうことを参加者に伝えます。

14:20

（1）シールを貼ろう！

プリント 24a・24b にある「ものさし」にシールを貼ります。

①から⑥までの分野の中で、参加者がどの分野に満足し、どの分野を不満に思っているのかを、おおまかに確かめます。

特に話しあいが必要な分野を決めて、次ページの（2）と（3）に関して、重点的に意見交換します。

シールが貼られた「ものさし」の特徴を読みとる

全員がシールを貼り終わったら、6つの「ものさし」を眺めます。

全体をおおまかに見て、特に話しあいが必要な分野を決めて、重点的に意見交換します。

A）シールが一箇所に貼られていて、みんなの意見が一致している。
B）シールがバラバラに貼られていて、意見が異なっている。
C）シールが色ごとに集まって貼られている。
　　つまり、公益・民間・行政・住民のセクターで、意見が異なっている。

(2) どの分野がうまくいったの？その理由は？

①から⑥までの「ものさし」の中で、みんなが満足している「ものさし」をさがします。見つかったら、どうして満足しているのか、その分野の良いところについて意見交換します。

「今後も仲良く取り組みます」と、みんなで感謝しあいます。

もっと良くしたいことを思いついた人がいたら提案します。

(3) どの分野がうまくいかなかったの？その理由は？

①から⑥までの「ものさし」の中で、みんなが不満に思う「ものさし」をさがします。見つかったら、どうして不満に思うのか、その分野のうまくいかなかったところについて意見交換します。

①から⑥までの「ものさし」の中で、一部の人が不満に思っている「ものさし」もさがしてみます。見つかったら、どうして不満に思っているのか、その分野のうまくいかなかったところを、みんなが分かるように話してもらいます。

15:00　おやつ休憩

15:20　共通の目標をみつけ、協力しよう！

(4) 今後の課題を書き出す

参加者が満足している分野とその理由、不満に思っている分野とその理由が、それぞれわかりました。今後、どのような課題を解決する必要があるかも見つかりました。

フリップチャート（カレンダーのようにめくれる、大きな紙）や模造紙に、今後に取り組むべき課題を書き出します。

(5) 今後の目標を決める

フリップチャートや模造紙に書き出した課題ごとに、いつまでに、なにをするか、目標を定めます。

プリント 19「いつまでに、どこまで進むか？」、プリント 20「取り組む際に考えること、決めること」を使うと、具体的な目標を決めることができます。

(6) 改善方法を考え、お世話する人を選ぶ

協議会の運営に関する今後の目標が定まったら、具体的な改善方法、課題の解決方法を考えます。最後に、参加者の中から、協議会の運営改善、課題解決のお世話をしてくれる人を選びます。「課題1」は〇〇さん、「課題2」は〇〇さんというように、複数の世話人を選び、役割分担して取り組みます。

16:00 次回の集まりの案内、片付け、解散

司会者は、参加者にお礼の言葉を述べます。次回の集まりの日程を案内し、解散します。司会者は「参加者のみなさんは、時間の許す限り会場に残り、おやつを食べて交流しながら、一緒に会場を片づけてください」とアナウンスします。

【プリント 24 の参考資料】

DVS (2014) Bilanzworkshop "Kundenzufriedenheit", *Selbstevaluierung in der Regionalentwicklung*, BLE, Bonn :75-93.

解説：プリント 25　取組はうまくいっているか？

プリント 8「今、取組を始めるか？潮目を読んで船出する」では、ある実際の取組に関して、地域の「強み」と「弱み」、「好機」と「間の悪さ」について確認しました。プリント 25 でも、同様の作業をします。

プリント 25 では、実際に行なった取組について振り返って自己評価し、今後の課題を整理します。そこで、取組に関して、過去と現在の状態（強みと弱み、好機と間の悪さ）を確認し、さらに未来の状態（強みと弱み、好機と間の悪さ）についても確認します。

解説：第 10 回　自己評価の集まり 3「取組はうまくいっているか？」の進行

プリント 25 を使い、第 10 回自己評価の集まり 3「取組はうまくいっているか？」を実施します。

実際の取組を行っている人たちと組織が、取組がうまくいったか、そうでないかを自己評価し、今後、どのように取組を進めていくかも話しあいます。

進め方は、次の通りです。

13:45 頃　集合

14:00　司会者のあいさつ

司会者は参加者に、どの取組に関して話しあうかを伝えます。

プリント 25「取組はうまくいっているか？」をながめながら、その進め方を解説します。

はじめに、実際に取組を実施してみて、地域の「強み（プリント 25 の①の猫)」と「弱み（②の猫)」、「好機（①のりんご)」と「間の悪さ（②のりんご)」が、取組に影響したのかを確かめます。

次に、今後、取組を取り巻く状況が、どう変化していくかを想像します（③と④の雲と猫)。

14:20　状況図をつくろう！

次の（1）から（4）までに関して、地域に関係することと（プリント 25 の猫の型）、世の中の動きに関係することとを（過去：りんごの型、未来：雲の型）、分けて書きます。いろいろな理由と意見を集めます。

（1）うまくいった理由は？
（2）うまくいかなかった理由は？
（3）今後、うまくいきそう？
（4）今後、実現が難しいのはなぜ？

15:00　おやつ休憩

15:20　共通の目標を見つけ、協力しよう！

（5）うまくいったことに感謝する

うまく取り組めていると分かったら「今後も協力して取り組みます」と、お互いに感謝しあいます。積極的に、地域の中に同じような取組を増やしていきます。

（6）課題を見つけ、今後の目標を決める

取組を続けるうえで問題が見つかったら、その問題が地域の人たちと組織の力で解決できるのか、もしくは、世の中の動きなので解決できないのかを確認します。

今後、うまくいきそうか、そうでないかも考えて、取組を継続するか、進路変更するかを話しあい、今後の目標を決めます。

うまく舵取りをしながら、取組を成功に導きます！

（7）改善方法を考え、お世話する人を見つける

取組の改善方法について、具体的に話しあいます。集まりの参加者の中から、取組の改善にむけてお世話してくれる人を見つけます。複数の世話役を見つけて、役割分担します。

16:00　次回の集まりの案内、片付け、解散

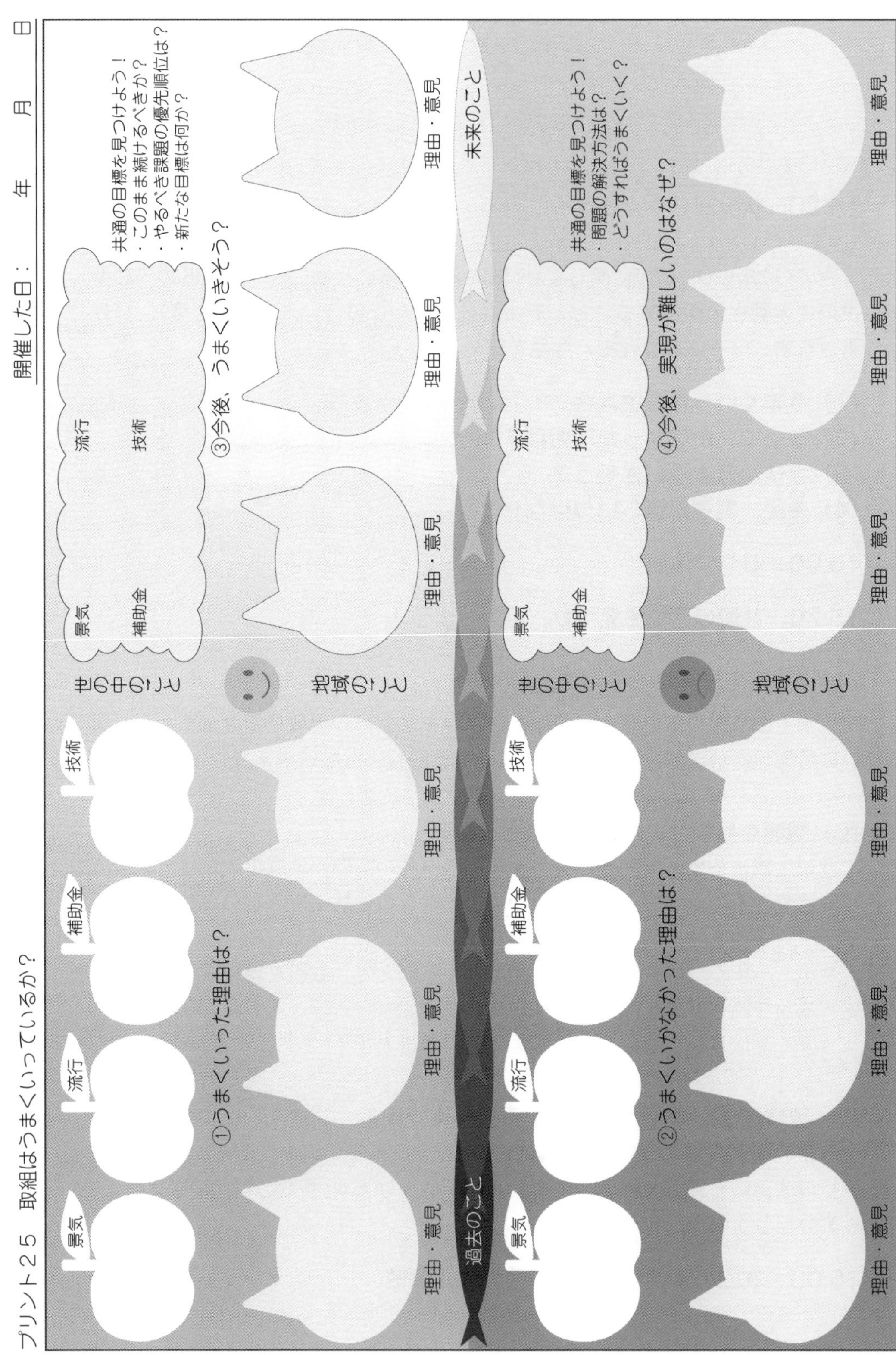
プリント２５　取組はうまくいっているか？
開催した日：　年　月　日
①うまくいった理由は？
景気
流行
補助金
技術
理由・意見
理由・意見
理由・意見
理由・意見
世の中のこと
地域のこと
過去のこと
未来のこと
景気
流行
補助金
技術
共通の目標を見つけよう！
・このまま続けるべきか？
・やるべき課題の優先順位は？
・新たな目標は何か？
③今後、うまくいきそう？
理由・意見
理由・意見
理由・意見
②うまくいかなかった理由は？
景気
流行
補助金
技術
理由・意見
理由・意見
理由・意見
理由・意見
世の中のこと
地域のこと
景気
流行
補助金
技術
共通の目標を見つけよう！
・問題の解決方法は？
・どうすればうまくいく？
④今後、実現が難しいのはなぜ？
理由・意見
理由・意見
理由・意見
関連：第１０回　自己評価の集まり３「取組はうまくいっているか？」

【プリント 25 に書き込むための 10 の質問】

10 の質問を読みながら、プリント 25 の項目を書き込みます。

うまくいった理由、うまくいかなかった理由について、さまざまな意見を集めます。なぜ、今のような取組の進み具合いになったのか、背景や事情を理解します。

①うまくいった理由は？（プリント左上）
②うまくいかなかった理由は？（左下）
　理由はたくさんあります。いろいろな立場から考えます。

③今後、うまくいきそう？（右上）
④今後、実現が難しいのはなぜ？（右下）
　世の中の動き、景気、流行、技術の有無など、考えてみます。
　政治の動き、世界が目指す方向性を考えてみます。

共通の目標を見つけよう！（以下は、模造紙に書く）
⑤このまま取組を続けるべき？
⑥どうすれば取組がうまくいくか？
⑦どうすれば問題が解決するか？
⑨新しい目標とは？
⑧取組の改善にむけて、やるべきことの優先順位はあるの？
⑩やるべきことを誰がやるか（誰がお世話するか）？

【プリント 25 の参考資料】

DVS (2014) SEPO-Analyse, *Selbstevaluierung in der Regionalentwicklung*, BLE, Bonn:124-127.

Baumfeld L., Hummelbrunner R. und Lukesch R. (2002): Systemische Instrumente für die Regionalentwicklung, Wien.

KEK Consultants (2000) hat einen anschaulichen Praxisbogen ins Netz gestellt: http://www.kek.ch/files/media/sepo_praxisbogen_deutsch.pdf (4. April 2014)

おわりに

地域づくりはチームプレー！

この本で紹介したように、地域づくりの協議会は、仲良しグループの集まりではありません。協議会では、考え方の異なる人たちが集まって話しあいます。

協議会メンバーが集まって話しあいしても、「毎回、意見が食い違うな・・・」と、それぞれが心の中で思っているものです。そのような状況では、誰もが緊張し、自らの意見や気持ちを心の中では確かめるものの、みんなの前で表明することにとまどいます。話しあいの場面では、自分の意見を言うのは、かなり勇気が要ることなのです。

自分の意見を言って、他の人の声にも耳を傾けるのが話しあい、つまり「協議」です。協議を、何度も、何度も、繰り返すうちに、意見の異なる人たちの間にも馴染みが出てくるものです。お互いの考え方も読めるようになり、多少は歩み寄って、協力してもいいかなと、思える関係になります。毎回の協議をゲームのように楽しく進められると、みんなが軽やかな気持ちで協議に参加できますよね。

地域づくりをスポーツで例えると、野球やサッカー、バスケットボール、バレーボールのような団体競技です。チームの選手は、みんな異なる能力を持っています。誰が、どのポジションを守り、どこで攻め込み、なんの役割を果たすのか。選手が、適材適所で活躍できることが肝心です。なにが得意で、なにが苦手か、選手はお互いに知っておく必要があります。練習を重ねると、メンバーの呼吸は次第にあうようになり、チームプレーが上達していきます。

スポーツでは、練習を重ねて、ルールや技術を習得します。特別な道具も使います。チームで戦略を練って試合に臨みます。試合の前半と後半では、戦略が異なります。試合の流れを見ながら、勝っているとき、負けているとき、それぞれに戦略を練り直します。

地域づくりでも、協議を重ねて、協議会の独自ルールを作り、それを守って活動します。協議の際には、特別な道具も使います。協議会のメンバーは、地域づくりの目標を定め、世の中の流れを把握して戦略を練り、適材適所にメンバーを配置し、取り組んでいきます。度々、地域づくりの進行状況をチェックしては、戦略を練り直します。

やりながら考えよう

地域づくりに取り組んでいると、長い、長い道のりを歩んでいるように感じます。アメリカの研究者、ディクソンは、国際機関や企業が、協議しながら創意工夫し、新しい知識を形成する集団的学習（コレクティブ・ラーニング）に関して、次のように記しています。

「古くからある学びとは、過去の知識を学ぶことです。こうした古いタイプの学びから得た知識は、目の前に、繰り返し、繰り返し、同じ問題が現れて、それに対応するうえでは、大変に役に立ちます。

しかし、これまでに経験したことのない問題が起きた時には、新しい知識をつくり出す必要があります。新しい知識は、古い知識と新しいアイデアが合わさると生まれます。

問題に正面から向きあって取り組んでいくと、新しい知識は生まれてきます。

新しいアイデアを出して、いろいろと実際に試しながら取り組んでいくと、さまざま経験から学ぶことができ、新しい知識は生まれます。

同じ目標へ向かうための道はいくつも存在します。それぞれの道は、どれも等しく、正しい道なのです」（Dixon 1994）

どのような進み方でも、みんなで創意工夫すれば、新しい知識が生まれて、目標に到達できるようです。

共に学ぼう

ドイツのカッセル大学のアルトロック先生は、ベルリンのまちづくり協議会の人たちにむけて取組の自己評価の方法を提案し、次のようなアドバイスを示しています。

「協議型のまちづくりは、都市の建設事業だけが目標ではありません。建設事業の後も、末長く、まちづくりの取組を続けることが大切です。まちづくり協議会には、さまざまな人たちが参加します。みんな、いろいろな考え方や価値観を持っていて、異なる視点から問題点を見つけだし、解決方法を持ち寄ります。それが、まちづくりを成功に導く鍵です。まちづくりに参加する人たちが、みんなで取組を振り返ると、その経験からみんなで一緒に学ぶことができ、まちづくりは、いつまでもいい状態で進んでいきます」（Altrock et al. 2011）

この本で紹介した地域づくり協議会の自己評価の方法を開発したDVSは、アルトロック先生の方法を参考にしました。

協議会による地域づくりのコツ

地域づくりの協議会をつくる際には、なるべく多くの人たちと組織に、協議会をつくることを伝えます。アルトロック先生の示すように、さまざまな人たちがいることが、協議会による地域づくりを成功に導くうえで大切だからです。また、参加者が多いと、一人一人の負担を軽くすることにもつながります。

協議会メンバーが、集まって話しあいながら地域づくりに取り組むコツは、逆説的ですが、話しあいすぎないことです。よく話しあうことは大事ですが、話しあいすぎて協議会が座礁しては本末転倒です。そのさじ加減は難しいのですが、話しあいに飽きたと感じたり、話しあいの参加者が減ってきたりした時には、話しあい過ぎたサインです。

自信がなくても、考えすぎず、「とりあえず、できることからやってみる」ことが大事です。創意工夫しているうちに、どうやったらいいのか、次第に分かってきます。取組を始めて、小さな失敗を繰り返しながら、軌道修正を繰り返します。小さな失敗や軌道修正は、新しい知識づくりの過程には必ずあります。効率が悪いとか、無駄な作業だとか、心配しなくて大丈夫です。

協議会では、地域らしさを確認し、地域の課題を把握し、地域らしさを活かした解決方法を考案します。たくさんの課題があるので、優先順位をつけて、急いでいること、すぐに始められそうなことから取り組みます。

「とりあえず、できることから始め」、それを呼水にして、地域内外の人たちや組織を説得して仲間を増やし、小さな取組の数を増やしたり、取組の芽を大きく育てたりするのが、協議会による地域づくりです。

取り組み方のコツがわかってきたら、しめたものです。自らの経験をふまえながら、できるだけ多くの人たちに地域づくりの重要性を伝えて、地域内外に理解者と協力者を増やします。取組を本格化させるために、補助金を申請したり、スポンサーをさがして寄付金を募ったりします。今、ここにお金がなくても、お金を出してくれる人や組織は見つかるものです。

しばらく協議会による地域づくりに取り組んだら、過去を振り返ります。地域の人たちと組織が改めて意見交換すると、さらなる課題が見つかり、新しい取組の種まきが始まります。地域づくりは、ずっと続いていきます。

引用・参考文献

浅井真康（2016a）「フィンランドの農業戦略と今次CAP(2014-2020)の実施状況」『平成27年度 カントリーレポート：EU（CAP改革，フランス，スコットランド，デンマーク，酪農）（プロジェクト研究［主要国農業戦略］研究資料 第10号）』，農林水産省農林水産政策研究所：115-152.

浅井真康（2016b）「フィンランドにおける農村振興政策 ―LEADERを中心として―」『農業』1619号，大日本農会：36-41.

綾町 HPhttps://www.town.aya.miyazaki.jp/soshiki/sougouseisakuka/1095.html

朱宮丈晴，小此木宏明，河野耕三，石田達也，相馬美佐子（2013）「照葉樹林生態系を地域とともに守る―宮崎県綾町での取り組みから―」『保全生態学研究』18：225-238.

朱宮丈晴，河野円樹，河野耕三，石田達也，下村ゆかり，相馬美佐子，小此木宏明，道家哲平（2016）「ユネスコエコパーク登録後の宮崎県綾町の動向 ―世界が注目するモデル地域―」『日本生態学会誌』66（1）：121-134.

アレグザンダー・クリストファー［平田翰那訳］（1992）『パタン・ランゲージ ―環境設計の手引―』鹿島出版会.（Alexander C. (1977) A Pattern Language, Oxford University Press, Inc.)

飯田恭子，イプセン・デトレフ，ズスト・アレクサンダー，高野公男（2004）「ドイツにおける多様で自立した地域発展政策に関する研究 ―ヘッセン州の農村地域発展プログラムを事例に―」『都市計画論文集』39.3巻，日本都市計画学会：271-276.

飯田恭子，ズスト アレクサンダー（2005a）「ドイツにおけるエコロジー農業による社会と環境の持続的発展に関する研究 – ユネスコの生物圏保存地域ロエンにおける事例『食べて保全』-」，『都市計画論文集』，No.40-3，日本都市計画学会：1-6.

飯田恭子（2005b）「農業と持続する地域づくり『食べて保全』」『東北芸術工科大学東北文化研究センター研究紀要』4号：127-139.

飯田恭子（2005c）「詩的な場所へ」，村山学編集室編『やまがた村山学：歩く見る聞く村山』創刊号，東北芸術工科大学東北文化研究センター.

飯田恭子（2007）「山間部地域における景域保全と『詩的な場所』」，平成14年度－平成18年度私立大学学術研究高度化推進事業オープン・リサーチ・センター整備事業研究成果報告書『東アジアのなかの日本文化に関する総合的な研究』，東北芸術工科大学東北文化研究センター：513-542.

飯田恭子（2014）「LEADER事業とリージョナル・マネージメントの実態」井上荘太朗編『平成26年度6次産業化研究　研究資料　第1号　農村イノベーションのための人材と組織の育成：海外と日本の動き』農林水産政策研究所.

飯田恭子（2019）「ドイツの農村振興と『詩的な場所』」『農業』令和元年（2019）10月号，大日本農会：54-58.

飯田恭子，市田知子，浅井真康，須田文明（2022）ドイツにおけるLEADER事業の評価体制とコレクティブ･ラーニング　―ローカル・アクション・グループの自己評価の実態―　『農業経済研究』93(4).

市田知子（2004）『EU条件不利地域における農政展開―ドイツを中心に―』，農山漁村文化協会.

市田知子（2008）『EU農村地域振興の展開と「地域」―ドイツのLEADERプログラムを中心に―』，『歴史と経済』政治経済学199号，経済史学会.

市田知子（2014）「LEADERの現状と2014年以降の展望」」井上荘太朗編『農村イノベーションのための人材と組織の育成：海外と日本の動き』，第1章，平成26年度6次産業化研究資料第1号，農林水産省農林水産政策研究所：7-14.

市田知子（2017）「LEADERプログラムと地域内協働の現状：ドイツを中心に」日本村落研究学会企画，小内純子編『年報　村落社会研究　第53集　協働型集落活動の現状と展望』農山漁村文化協会.

伊藤正人（2008）「EU農村振興政策」農林水産政策研究所.

井上荘太朗・須田文明・松田裕子・李裕敬（2013）「海外の農村イノベーション政策：6次産業化,, 食料産業クラスター，農村アニメーター」，『フードシステム研究』，第20巻第3号，日本フードシステム学会.

イプセン・デトレフ［飯田恭子，ズスト・アレクサンダー訳］（2005）「詩的な場所と地域づくり」村山学編集室編『村山学』東北芸術工科大学東北文化研究センター.（Ipsen D. (2000) Poetische Orte und Regionalentwicklung, *Information zur Raumentwicklung*, Heft 9 / 10.2000)

大江佑輝（2015）『EU の LEADER 事業を通じた地元主導型の地域振興 ～フィンランドにおける事例調査を通じて～』(一財) 自治体国際化協会ロンドン事務所 Clair Report No.425.
奥田仁（2005）『フィンランドの農村地域発展』開発論集，第 75 号：83–97.
ゲール・ヤン [北原理雄訳]（1971）『屋外空間の生活とデザイン』，鹿島出版会.
ゲール・ヤン（1995）インタビュー，山形.
国土交通省「事例番号 147 自然とまちを有機的に結ぶまちおこし（宮崎県綾町）」『まち再生事例データベース』 https://www.mlit.go.jp/crd/city/mint/htm_doc/pdf/147aya.pdf
佐々木宏樹，平原誠也，松山普一，森田浩史，鈴木貴裕（2022）「モバイルアプリを用いた「ソーシャルスコア」導入が農村地域へ及ぼす影響ー宮崎県綾町におけるソーシャルキャピタル及び主観的幸福度を指標とした因果分析ー」『農業経済研究』94(1), 印刷中.
須田文明（2014）「フランスの地域エンジニアリングと農村アニメーター」井上荘太朗編『平成 26 年度 6 次産業化研究　研究資料　第 1 号　農村イノベーションのための人材と組織の育成：海外と日本の動き』農林水産政策研究所.
総務省（2018）『これからの移住・交流施策のあり方に関する検討会報告書ー「関係人口」の創出に向けてー』.
総務省　地域力創造グループ「関係人口とは」https://www.soumu.go.jp/kankeijinkou/about/index.html
総務省統計局（2021）「令和２年国勢調査の結果」
高野公男（2007）「『詩的な場所』に関する一考察―その概念の深化と地域デザインの可能性―」, 飯田恭子編『「詩的な場所」に関する調査研究』，研究代表者赤坂憲雄，東北芸術工科大学東北文化研究センター.
遠野市 HP，https://www.city.tono.iwate.jp/index,cfm/1,html
遠野市（2013）「広報遠野 (2013-09)」
遠野市（2020）「新編　遠野市史　現代編」
遠野市（2021）「遠野市過疎地域持続的発展計画」
内閣府経済社会総合研究所（2016）「ソーシャル・キャピタルの豊かさを生かした地域活性化」
原真志（2003）「第 5 部 四国の自立と連携に向けて―宮崎県綾町の地域振興の取り組みから（公開講座 21 世紀に四国を創る新機軸―四国における自立の芽、連携の芽）」香川大学生涯学習教育研究センター研究報告，香川大学生涯学習教育研究センター.
桝潟俊子（2004）「行政主導による「有機農業の町」づくりー宮崎県綾町における循環型地域社会の形成ー」『淑徳大学社会学部研究紀要』38：95-124.
森崎美穂子，須田文明（2022）「フランスにおける食の文化遺産化：栗の食文化に見る地域振興と文化政策」『文化政策研究』第 15 号.
山田晴義, 遠野市政策研究会（2004）「遠野スタイル　自然と共に循環・再生し続ける永遠のふるさと」ぎょうせい.
AG Bäuerliche Landwirtschaft (Hrsg.) (1997) *Leitfaden zur Regionalentwicklung*, Rheda-Wiedenbrück.
Altrock U. u. Raumsauer P. (2011) *Evaluierung der Städtebauförderung*, BMVBS, Berlin.
Augé M. [Übersetzung von Bischoff, Michael] 1994 (1992) Orte und Nicht-Orte, S.Fischer.
Baumfeld L., Hummelbrunner R. und Lukesch R. (2002): Systemische Instrumente für die Regionalentwicklung. Wien.
Bundesministerium für Ernährung und Landwirtschaft：BMEL (2020) Ländliche Regionen verstehen, Fakten und Hintergründe zum Leben und Arbeiten in ländlichen Regionen, p6, p19, Berlin.
https://www.bmel.de/SharedDocs/Downloads/DE/Broschueren/LaendlicheRegionen-verstehen.pdf?__blob=publicationFile&v=12　2021 年 6 月 25 日参照.
Dachmarke Rhön e.V. (2020) https://dmr.marktplatzrhoen.de/zeichenundmarkenrhoen　2020 年 10 月 9 日参照.
Deutsche Vernetzungsstelle LEADER+ in der BLE (2007) LEADER+ in Deutschland - Ausgewählte Projekte, Bonn.
DG Agriculture and Rural Development (2011) *DG agriguide for the application of the Leader Axis of the rural developmentprogrammes 2007-2013 funded by the EAFRD.*
Dixon, N. M. (1994) *The Organizational Learning Cycle -How We Can Learn Collectively-*, Routledge, NY, : 20, 99, Figure 4.2.

DVS (2009) *1+1 ist mehr als 2 - Handbuch zur gebietsübergreifenden und transnationalen Kooperation*, Bonn.
DVS (2014) *Selbstevaluierung in der Regionalentwicklung*, BLE, Bonn.
DVS (2019a) https://www.netzwerk-laendlicher-raum.de/regionen/leader/ 2019年09月20日参照.
DVS (2019b) Interview mit Herrn Stefan Kämper, BLE, Bonn.
DVS (2021) https://www.youtube.com/channel/UCnNu6llofxL3pyX1NA0uivQ 2021年04月13日参照.
EC (2006) *The Leader approach*, Fact sheet, Luxembourg.
ECA, European Court of Auditors (2010) *Implementation of the LEADER approach for rural development*, Special report No.5. DE: Europäischer Rechnungshof (2010) *Umsetzung des LEADER-Konzepts zur Entwicklung des ländlichen Raums*, Sonderbericht Nr. 5/ 2010, Luxemburg.
EEN (2014, 2017) *Guidelines, Evaluation of LEADER/CLLD*, European Commission, EU, Brussels.
EU (2008) *Synthesis of Ex Ante, Evaluations of Rural Development Programmes 2007-2013*, Final Report 11/12/2008, European Commission DG Agriculture and Rural Development.
European Commission (1999) *Ex-Post Evaluation of the LEADER I Community Initiative 1989-1993*, Final Report, Chapter 4 - Financing, P.123, Brussels.
European Commission (2011) *Community-Led Loval Development - Cohesion Policy 2014-2020*, Fact Sheet, Brussels.
Fuchs T. (1966) *Macht Euch die Stadt zum Bilde*, Pfaffenweiler.
Gothe S. (2006) Regionale Prozesse gestalten.
Handbuch für Regionalmanagement und Regionalberatung, Kassel.(unter dem Begriff "Team-Check")
Gothe S. (2014) Kollegiale Beratung, kommunare.
Hellberg (1994) Schuettler Klaus in Hessische Akademie der Forschung und Planung im Ländlichen Raum (Hrsg.), *Zeitgemäße Leitbilder fuer die Dorferneuerung*, Schriftenreihe Band 11, Bad Karlshafen : 9-26.
HMULF (2000) *EPLR 2000-2006 Hessen (Entwicklungsplan für den Ländlichen Raum)*, Wiesbaden.
HMLULF, Hessisches Ministerium für Landesentwicklung, Umwelt, Landwirtschaft und Forsten (Hrsg.) (1983) *Dorferneuerung in Hessen*, Wiesbaden.
HMULV, Hessisches Ministerium für Umwelt, ländlicher Raum und Verbraucherschutz (2007a) *Förderung der Entwicklung des ländlichen Raums in Hessen 2007-2013*, Wiesbaden.
HMULV (2007b) *Entwicklungsplan für den ländlichen Raum des Landes Hessen 2007-2013*, Wiesbaden.
HMULV (2008) *EPLR 2007-2013 Hessen, Zwischenbericht - Berichtsjahr 2007*, gemäß Art. 82 VO (EG) Nr. 1698/2005 - ELER (EAFRD) -Verordnung, Wiesbaden.
Iida, K. (2000) *Kulturlandschaftswahrnehmung und Konsumentenbewusstsein in der Rhön*, Universität Gh Kassel.
Iida K. (2009) *Ästhetik und nachhaltige Entwicklung in Bergregionen*, Universität Kassel.
Iida K. und Sust, A. (2014a) *Hessische Regionalforen (Hrsg.), Know-how-Transfer zwischen den Regionalmanagements der hessischen Regionalforen*, Alsfeld.
Iida K., Sust A. und Schulte S. (2014b) *Evaluierung der Umsetzung des Regionalen Entwicklungskonzeptes 2007-2013 der LEADER-Region Burgwald-Ederbergland*, Region Burgwald - Ederbergland e.V..
Iida K., Sust A., Hippchen R., Edelmann K. und Kremer M. (2014c) *Erstellung des Regionalen Entwicklungskonzeptes LEADER-Region Lebensraum Rhön 2014-2020*, Verein Natur- und Lebensraum Rhön e.V., UNESCO Biosphärenreservat, Hessische Rhön.
Ipsen D., Hillmann G., Ruffini P., Schekahn A., Brörkens H., Gybers S., Iida K., Said J., Schuster S. und Sust A. (1999) *Evaluierung des Programms zur ländlichen Regionalentwicklung in Hessen*, Gh Kassel.

Ipsen D. (2006) *Ort und Landschaft,* Verlag für Sozialwissenschaften, Wiesbaden.
Jasper U. und Schievelbein C. (1997) *Leitfaden zur Regionalentwicklung -Mit Beiträgen aus Landwirtschaft, Verarbeitung und Vermarktung-*, Arbeitsgemeinschaft bäuerliche Landwirtschaft, Berlin.
KEK Consultants (2000) hat einen anschaulichen Praxisbogen ins Netz gestellt: http://www.kek.ch/files/media/sepo_praxisbogen_deutsch.pdf
Kolb, D. A. (1984) *Experiential Learning*, Englewood Cliffs NJ.
Land Hessen (1993) Staatsanzeiger des Landes Hessen 23/1993, Wiesbaden.
Metis GmbH and subcontractors AEIDL and CEU (2010) *Ex-post evaluation of LEADER+*, Vienna.
Mose I. (1993), *Eigenständige Regionalentwicklung - neue Chancen für die ländliche Peripherie*, Vechita.
Neumann S., und Bühler J. (2010) DVS (Hrsg.), *Förderhandbuch für den Ländlichen Raum*, Bonn.
ÖIR - Managementdienste (2003) *Ex-post evaluation of the Community Initiative Leader II*, European, Vienna.
Pollermann, Raue und Schnaut (2009) *LandInForm*, 4. 2009, Deutsche Vernetzungsstelle Ländliche Räume; dvs, Bundesanstalt für Landwirtschaft und Ernährung : 40-41.
Pollermann K., Aubert F., Berriet-Solliec M., Laidin C., Lépicier D., Pham H.V., Raue P. u. Schnaut G. (2020) *LEADER* as a *European Policy* for *Rural Development in a Multilevel Governance Framework*, *European Countryside*, 12(2) : 156-178.
Putnam R. D. (1993) *Making democracy work : civic traditions in modern Italy,* Princeton University Press.
Scheer G. (1987) in : Verein zur Förderung der Eigenständigen Regionalentwicklung in Hessen e.V. Hrsg., Tagungsbericht, Ansätze einer eigenständigen Regionalentwicklung, Melsungen.
Schuettler K. (1999) *Ländliche Entwicklung - Ansätze und Erfahrungen aus der Sicht eines Bundeslandes-*.
Sust, Schwab, Iida und Schulte (2014) *Erstellung des Regionalen Entwicklungskonzeptes LEADER-Region Burgwald-Ederbergland 2014-2020,* Region Burgwald - Ederbergland e.V..
Umweltbundesamt (2021) https://www.umweltbundesamt.de/daten/flaeche-boden-land-oekosysteme/flaeche/struktur-der-flaechennutzung#die-wichtigsten-flachennutzungen 2021年09月20日参照.
vTI, Institut für Ländliche Räume Johann Heinrich von Thünen-Institut (2008) „Kapitel 1, Zusammenfasssung", *ex-post-Bewertung des Hessischen Entwicklungsplans für den ländlichen Raum,* Braunschweig.
Wage P. and Rinne P. (2008) A Leader Dissemination Guide Book Based on Programme Experience in Finland, Ireland and the Czech Republic. Helsinki: Rural policy committee.

【イラスト制作の参考資料のご提供】
○ 綾の照葉大吊橋 : 綾町総合政策課商工観光係様
○ カッパ淵 : 一般社団法人遠野市観光協会様
○ 袖志の棚田 : 一般社団法人京都府北部地域連携都市圏振興社京丹後地域本部様

著者紹介

50音順

浅井真康

農業環境政策、農村計画学、システム農学が専門。EUの農業政策・戦略等に関する研究、各加盟国における共通農業政策下の政策適応に関する研究を続ける。

2009年にオランダ・ワーゲニンゲン大学より修士号、2013年にデンマーク・コペンハーゲン大学より博士号を取得。

2014年から農林水産政策研究所に所属し、フィンランド、オランダ、デンマーク、フランス等を中心に各国の農業環境政策や持続可能な農村振興に関する調査を続ける。2021年9月より経済協力開発機構（OECD）に勤務。
研究所URL：https://www.maff.go.jp/primaff/about/kenkyuin/asai_masayasu.html

飯田恭子

ドイツ農政、農村計画、ランドスケープ計画、都市計画が専門。東北芸術工科大学卒業後、1997年からドイツのミュンヘン工科大学、カッセル大学、東北芸術工科大学、フルダ大学にて、「持続可能な地域発展」をテーマに研究を続ける。カッセル大学より修士号と博士号を取得。工学博士。

「詩的な場所」で、よこはまかわを考える会の横浜水辺賞2009を受賞。

2011年から3年間、ドイツのLEADER地域でリージョナル・マネージャーとして勤務。その後、LEADER地域のコンサルティング、地域振興計画・戦略の策定、事業評価、LEADER地域間の研修・連携事業の運営にたずさわる。2009年から2011年まで、2018年から現在まで農林水産政策研究所に勤務。
研究所URL：https://www.maff.go.jp/primaff/about/kenkyuin/iida_kyoko.html

著者紹介

市田知子

農業経済学、農業政策、農村社会学を専門としており、明治大学農学部食料環境政策学科で教鞭を執る。ドイツを中心にヨーロッパの農業政策、農村振興について調査研究をしている。

1990年代よりドイツ連邦政府フォン・テューネン研究所と研究交流を行い、2017年のサバティカル期間には同研究所に客員研究員として滞在し、LEADER事業に関する現地調査も行った。

研究室URL：https://www.ichidato.jp/

國井大輔

地理情報システム、リモートセンシング、地域計画学が専門。

生態系サービスや農村の豊かさの評価や、バイオマス等の地域資源の持続的な活用に関する研究をベースに、農村振興に関する研究を行う。2009年に東北大学大学院農学研究科より博士（農学）を取得。

同大学院農学研究科研究員、フランスブルゴーニュ大学客員研究員を経て、2012年より農林水産政策研究所に所属。2016年、2017年は、農林水産省農村振興局において行政業務に従事し、2018年より現職。

研究所URL：https://www.maff.go.jp/primaff/about/kenkyuin/kunii_daisuke.html

佐々木宏樹

農林水産政策研究所上席主任研究官。京都大学博士（農学）。2003年に農林水産省入省。農林水産政策研究所、大臣官房環境バイオマス政策課、経済協力開発機構（OECD）、国連食糧農業機関（FAO）等を経て、2018年より現職。

農業政策におけるEBPM（エビデンスに基づく政策立案）の推進、ナッジ等行動科学を活用した農家行動・消費者行動に関する研究、自然科学と社会科学の連携による農業環境政策の評価等に取り組む。

研究所URL：https://www.maff.go.jp/primaff/about/kenkyuin/sasaki_hiroki.html

著者紹介

ズスト・アレクサンダ / Alexander Sust

ドイツのミュンヘン工科大学、カッセル大学で「持続可能な地域発展」をテーマに研究を行なった。LEADER 地域でリージョナル・マネージャーとして勤務した。

LEADER 地域のコンサルティング、地域振興計画・戦略の策定、事業評価、ユネスコ生物圏保存地域の評価会運営、持続可能な開発のための教育における地域ネットワークづくりにたずさわる。2018 年よりフルダ環境センター長を務める。

須田文明

フランス農政の専門家であり、農村アニメーター（コーディネーター）に関する調査研究を行う。

フランスの LEADER 地域では、多様な部門のバリューチェーンと農村アニメーターとしての LAG の連携に関する研究を継続的に実施。農林水産政策研究所に勤務。
研究所 URL：https://www.maff.go.jp/primaff/about/kenkyuin/suda_humiaki.html

竹内昌義

建築家。東北芸術工科大学デザイン工学部建築・環境デザイン学科長、建築設計事務所「みかんぐみ」共同代表、株式会社「エネルギーまちづくり社」代表取締役、一般社団法人「パッシブハウスジャパン」理事を務める。
東北芸術工科大学 建築・環境デザイン学科 URL：
https://www.tuad.ac.jp/academics/architecture/
研究室 URL：https://www.tuad.ac.jp/about/search/teacher/2097/
エネルギーまちづくり社 URL：https://enemachi.com

田中淳志

農業と自然環境保全、淡水に関わる環境経済学が専門。東京工業大学工学部情報工学科、東京大学大学院森林科学専攻博士課程を経て、2004 年に農林水産省農林水産政策研究所に入所。環境省自然環境局野生生物課、農林水産省農村振興局農業環境課を経て、農林水産省農林水産政策研究所農業・農村領域に勤務。
研究所 URL：https://www.maff.go.jp/primaff/about/kenkyuin/tanaka_atusi.html

著者紹介

塚本里枝子　rieco

Web デザイナー、グラフィックデザイナー。
研究データの可視化、図表やイラストの作成にたずさわる。

平形和世

グリーンツーリズム、農村観光等が専門分野。
農林水産省入省後、国際部、経済協力開発機構（OECD）（出向）、大臣官房情報評価課情報分析・評価室、消費・安全局消費者情報官等での勤務を経て、2014 年から農林水産政策研究所政策研究調整官、2021 年から上席主任研究官（現職）。

三浦秀一

東北芸術工科大学　建築・環境デザイン学科　教授
やまがた自然エネルギーネットワーク　代表
兵庫県出身。早稲田大学大学院博士課程修了、博士（工学）
建築と地域を主眼とした自然エネルギーの活用や省エネ、地球温暖化対策の技術評価や政策に関する研究を行う。東北地域が自然エネルギー 100％の地域となるよう、住民や自治体とともに実践活動に取り組む。
著書
研究者が本気で建てたゼロエネルギー住宅、農文協、2021 年
世界の田園回帰　11 カ国の動向と日本の展望（共著）、農文協、2017 年
研究室 URL：https://www.tuad.ac.jp/about/search/teacher/2103/

登場人物のキャラクター紹介

登場人物のキャラクター紹介

にゃんこ・アクション・グループ（Nyan-co. Action Group）は、らすとぽ島の港町にある、海と山の暮らしを振興する協議会です。“にゃぐ（NYAG）”という愛称で、地元の人たちに親しまれています。

キャラクター自己紹介（1）
わたしの名前は“なお”。
ICT 系の株式会社にゃ魚で働いています。
職場は、魚市場の一画にあります。
毎朝、早起きして、水揚げされた魚の鮮度や大きさを、最新の技術で瞬時に確認し、（株）うお鱒に出荷しています。
大好きな食べ物は、サンマの塩焼きです。
“あき”が運営する NPO も手伝っています。
Nao

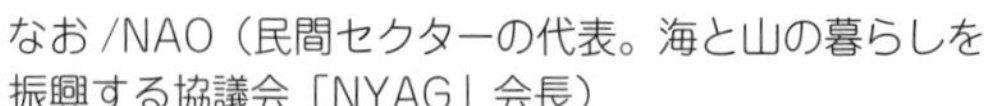

なお /NAO（民間セクターの代表。海と山の暮らしを振興する協議会「NYAG」会長）

キャラクター自己紹介（2）
わたしの名前は“ゆき”。港町に住んでいます。
坂道の多い町で、
丘の上の公園まで散歩するのが日課です。
丘の上の公園には松が生えていて、
きらきらと輝く海が見えますよ。
らすとぼ島が大好きなので、
住民セクターの代表になりました。
Yuki

ゆき /YUKI（住民セクターの代表）

キャラクター自己紹介（3）
わたしの名前は“あき”。
丘の上の公園から、さらに登っていった
谷地の里山に住んでいます。
近所の田んぼの草取りや、野菜の栽培を
ボランティアで手伝っています。
縁側で涼みながら、仲間とビールを飲んでいたら、
ホタルが飛んできました。
NPO をつくり、みんなでホタルの小川を
手入れすることにしました。
Aki
あき /AKI（公益セクターの代表）
キャラクター自己紹介（4）
わたしの名前は“ごん”。
港町役場の職員です。
みどり自然課に所属し、丘の上の公園で
樹木を維持管理しています。
公園で松が元気に育つように、
最近、樹木医の資格を取りました。
“ゆき”とは小学校からの同級生で、
今でも時々、一緒に釣りに行きます。
GON
ごん /GON（行政セクターの代表）

謝辞

ドイツのヘッセン州にあるヘッセン・リージョナル・フォーラム連合会（HRF）のみなさんには、研究や実践で、長年にわたりお世話になっています。HRF のみなさんに感謝申し上げます。HRF の活動を通じて、持続可能な地域づくりにむけたアイデアが創出され、より良い実践手法が LEADER 地域に伝播されています。

ドイツ全土の LEADER 地域の交流に関しては、ドイツ連邦農業・食料庁のドイツ農村地域ネットワーク（DVS）が尽力されています。この本では、DVS がドイツの LEADER 地域や専門家と作成し、LAG に好評の『農村地域振興の自己評価–考え方と手法集–』（DVS 2014）から、３つの自己評価の手法を紹介させていただきました。

DVS のシュテファン・ケンパーさん（Herr Stefan Kämper）には、2019 年にボンでお会いしました。ケンパーさんは、この本の中で DVS の手法を紹介することにご快諾くださいました。DVS のみなさまに心より感謝申し上げます。

フィンランド、Joutsenten reitti LAG の Petri Rinne さんからは、大変興味深いお話をたくさん教えていただきました。重ねましてお礼を申し上げます。

日本では、農林水産政策研究所の「ICT や先端技術を活用した農村活性化、地域資源・環境の保全に関する研究（プロジェクト研究）」における「ICT の活用や地域資源の利用による農村イノベーションに関する研究」チームが、綾町農林振興課と株式会社電通国際情報サービス（ISID）、遠野市産業部と健康福祉部、宇川スマート定住促進協議会、京丹後市観光公社（一般社団法人京都府北部地域連携都市圏振興社 京丹後地域本部）、一般社団法人遠野市観光協会の皆様にご協力いただきながら、それぞれの地域づくりの取組についてご紹介しました。

原稿の執筆にあたり、ご協力いただいた各地の皆様にお礼申し上げます。

東北芸術工科大学の建築・環境デザイン学科で環境計画演習３を履修している学生のみなさんは、山形県白鷹町におけるフィールド調査で地元の方々のご協力をいただき、三浦秀一先生、渡部桂先生、志村直愛先生とともに、この本のプリントを試用して、調査結果を発表してくださいました。皆様には、ご協力いただきまして、誠にありがとうございました。また、竹内昌義先生の原稿の執筆にあたりご協力いただきました、山形市の株式会社荒正、紫波町企画課、オガール企画合同会社の皆様には、心よりお礼を申し上げます。

香月敏孝様、伊藤正人様、井上荘太朗様、小野智昭様、大橋めぐみ様には、LEADER 事業に関する研究を進めるうえでご指導いただきまして、誠にありがとうございました。

筑波書房の鶴見治彦様には、本書の刊行にあたり大変にお世話になりまして、誠にありがとうございます。

本書は、JSPS 科研費の助成を受けました。

「EU 農村振興の評価体制・手法に関する研究」（JP19H03068）の成果を、社会に広く還元するために執筆し、刊行いたしました。

2022 年 3 月吉日

「EU 農村振興の評価体制手法に関する研究」（JP19H03068）の研究メンバー
飯田恭子 浅井真康 市田知子 須田文明：編著
rieco：プリント・イラスト・ぬり絵
佐々木宏樹 平形和世 國井大輔 田中淳志
三浦秀一　竹内昌義 スズト・アレクサンダ：共著

rieco：プリント・イラスト・ぬり絵

佐々木宏樹　平形和世　國井大輔　田中淳志
三浦秀一　竹内昌義　ズスト・アレクサンダ：共著

松永えりか：カバーデザイン・レイアウトデザイン

集まって話しあう日本とヨーロッパの地域づくり
図解：5つのステップを楽しもう!

2022年3月31日　第1版第1刷発行

編著者　飯田恭子　浅井真康　市田知子　須田文明
発行者　鶴見治彦
発行所　筑波書房
東京都新宿区神楽坂2－16－5
〒162－0825
電話03（3267）8599
郵便振替00150－3－39715
http://www.tsukuba-shobo.co.jp
定価はカバーに表示してあります

印刷／製本　中央精版印刷株式会社

ISBN978-4-8119-0623-2 C0036